AFRICAN ART

IN AMERICAN COLLECTIONS

L'ART AFRICAIN

DANS LES COLLECTIONS AMERICAINES

BY WARREN M. ROBBINS

With the assistance of
Avec l'assistance de
ROBERT H. SIMMONS

Translated into French by
Traduit en Français par
RICHARD WALTERS

FREDERICK A. PRAEGER, Publishers   New York • Washington • London

AFRICAN ART
IN AMERICAN COLLECTIONS

L'ART AFRICAIN
DANS LES COLLECTIONS AMERICAINES

FREDERICK A. PRAEGER, PUBLISHERS
111 Fourth Avenue, New York 3, N.Y., U.S.A.
77-79 Charlotte Street, London W.1, England

Published in the United States of America in 1966
by Frederick A. Praeger, Inc., Publishers

© 1966 by Frederick A. Praeger, Inc.

Library of Congress Catalog Card Number: 66-13681

Printed in the United States of America

To

WILLIAM LEO HANSBERRY

1894–1965

whose life-long endeavors

to document the little-known history and culture

of Africa

have been a source of inspiration

for modern scholars

and for all those

who would understand Africa better

À

WILLIAM LEO HANSBERRY

1894–1965

dont les efforts toute sa vie durant

pour documenter l'histoire et la culture peu connues

de l'Afrique

ont inspiré

les savants de nos jours

et tous ceux

qui veulent mieux comprendre l'Afrique

Preface

PRIOR to our own generation, the comparative worth of the many cultures of man was measured primarily in terms of the achievements and values that have accompanied technological development. Ironically, this measure has frequently been accepted even by those new nations engaged in the process of modernization themselves, who did not recognize the cultural richness of their preindustrial past and the universal significance of their unique kind of creativity.

In this century, however, two great intellectual forces have converged, enabling us to view with more perceptive eyes human creative achievement and to find in the great diversity of man's cultural expression new sources of enrichment for all human beings. Both science and art in the twentieth century have contributed to—and at the same time, have reflected—the revolution in thought that has made the last fifty years perhaps the most momentous period in man's gradual cultural evolution.

The concept of "relativity," which in the natural sciences has led to a profound revision of man's understanding of his physical environment, has begun to have a no less revolutionary effect upon his view of the human cultural environment. "Cultural relativity" has been the principal contribution of ethnology or cultural anthropology, the newest of the social sciences, which, in the opinion of the eminent French philosopher-ethnologist Claude Lévi-Strauss, has the same importance in relation to our studies of man as early astronomy had to the physical sciences. The idea that the validity and the logic of every form of human belief and behavior are relative to the culture in which they find expression has provided for the first time the conceptual tool with which to break through the walls of ethnocentrism that all cultures through the ages have built around themselves. These walls are not yet down, but with this breakthrough, the way is now open for men of different cultural backgrounds to learn to understand, to trust, and to respect one another.

Liberating forces have been at work as well in the arts, leading to new and deeper levels of sensitivity and awareness. From cultures that were once looked upon as naïve or primitive, rich veins of creative expression have been discovered which have already helped to resuscitate the arts of the modern world and to provide new foundations for cultural expression in the future.

In this process, the cultural tradition of Africa has played a fundamental role. The impact of African culture upon the creative development of man is yet to be properly assessed and the ultimate effect probably will not be completely known for many generations. But it is already clearly evident that in music, dance, and the

Préface

LES GÉNÉRATIONS antérieures à la nôtre établissaient la valeur relative des diverses cultures humaines essentiellement par rapport aux réalisations et aux valeurs qui accompagnent le progrès technologique. Ironiquement, cette échelle des valeurs a souvent été acceptée même par les nations nouvelles lancées dans le processus de leur propre modernisation, et qui n'avaient pas conscience de la richesse culturelle de leur passé préindustriel, pas plus que de la valeur significative universelle de leur propre type, unique, de créativité.

Dans notre siècle, cependant, deux grandes forces intellectuelles ont convergé et nous ont permis de considérer avec davantage de clairvoyance les effets du don créateur humain, et de trouver dans la vaste diversité de l'expression culturelle humaine de nouvelles sources d'enrichissement pour tous les humains. À la fois la science et l'art du XXème siècle ont contribué—en même temps qu'ils en sont le reflet—à la révolution dans les façons de penser qui ont fait des cinquante dernières années la période peut-être la plus marquante de la progressive évolution culturelle de l'homme.

Le concept de "relativité," qui en sciences naturelles a mené à une révision profonde de la compréhension par l'homme de son environnement matériel, a commencé à avoir un effet non moins révolutionnaire sur ses conceptions de l'environnement culturel humain. La "relativité culturelle" a été le principal apport de l'ethnologie, ou anthropologie culturelle, la dernière en date des sciences sociales, celle qui, de l'avis de l'éminent philosophe-ethnologue français Claude Lévi-Strauss, a, pour notre étude de l'homme, une importance comparable à celle qu'avait eue l'astronomie des premiers temps pour l'étude des sciences naturelles. L'idée que la valeur et la logique de toutes formes de croyances et de comportement humains sont apparentées à la culture dans laquelle ces croyances et comportement s'expriment nous a, pour la première fois, fourni un outil conceptuel permettant d'enfoncer les murailles d'ethnocentrisme dont toutes les cultures, au long des siècles, se sont entourées. Ces murailles ne sont pas encore abattues, mais elles sont suffisamment enfoncées pour avoir par cette brèche ouvert la voie à des hommes de formations culturelles différentes désireux de se comprendre, de se faire confiance et de se respecter mutuellement.

Les forces libératrices ont également été actives en matière d'arts, menant à des niveaux neufs et plus profonds de sensibilité et de lucidité. Dans des cultures qui furent jadis tenues pour naïves ou primitives, de riches filons d'expression créatrice ont été découverts, qui ont déjà aidé à ressusciter les arts du monde moderne et à assurer de nouveaux fondements pour l'expression culturelle de l'avenir.

Dans ce processus, la tradition culturelle de l'Afrique a joué un rôle fondamental. L'impact complet de la culture africaine sur la croissance culturelle de l'homme reste encore à évaluer véritablement, et il ne sera probablement pas pleinement assumé avant plusieurs générations, mais il est déjà bien évident que pour la musique, la

plastic arts, African culture has had far-reaching effects upon modern creative developments.

The impact that one facet of African culture has had upon the American art world is manifested in this book. During the past half-century, interest in the traditional sculpture of Africa has grown to such an extent in the United States that there are today approximately 200 important museum and private collections that attest to the stature of African sculpture among the great artistic heritages of mankind.

Represented in this book are 110 of these collections. They reflect the interest of collectors and scholars in the United States, ranging from the artist or cultural historian with a professional concern in African art to the layman whose interest in the arts embraces the achievements of a culture remote from his own.

The expressive quality and the sheer evocative power of African sculpture, as well as its great diversity, are to be seen in the book's 354 illustrations, which depict the traditional art styles of 106 peoples in 32 countries of present-day Africa. It has not been possible within the limitations of space to provide a more comprehensive photographic treatment of the hundreds of tribal styles in Africa. Consequently, where examples of certain styles were not immediately available, a greater representation of some of the more prolific sculpture-producing peoples has been included. The book stresses primarily the totality and unity—despite the diversity—of the African creative tradition: each piece of sculpture, it is felt, should be looked upon as part of the cultural heritage of Africa as a whole.

A special effort has been made to select pieces not previously published (unless possibly in museum catalogues of limited circulation).. In a number of instances, however, masterworks have intentionally been included which although already familiar to connoisseurs were too important to omit from such a survey.

I hope that for purposes of comparative study the book will be of value to the expert and to the student of African art. It is addressed, however, principally to a broader audience of persons—non-African and African alike—who are professionally engaged in the quest for political, social, and cultural understanding between the black and the white peoples of the world. Among these trained specialists in diplomacy, political affairs, economics, education, engineering, public health, social relations, journalism, etc., who are not customarily acquainted with the specialized vocabulary of the art world, art has usually been only of peripheral interest, regarded as marginal to the crucial problems of the day.

The special relevance of art to political and social understanding is suggested, I hope, in the accompanying introductory essay, which endeavors to provide for the newcomer to African art a compilation of some of the basic perspectives and facts about its ethnological and aesthetic significance with which he may better appraise it. No attempt has been made to present extensive ethnological or historical background to accompany the illustrations. A special debt of gratitude is owed to the principal scholars in the fields of African ethnology and aesthetics for the contributions they are making to a fuller understanding of African culture.

I deeply appreciate the good counsel and the assistance of the many collectors

danse et les arts plastiques la culture africaine a eu des effets à longue portée sur l'évolution créatrice moderne.

L'impact qu'un aspect de la culture africaine a eu sur le monde artistique américain apparaît clairement dans ce livre. Dans le cours du dernier demi-siècle, l'intérêt manifesté pour la sculpture traditionnelle d'Afrique s'est accru à un tel point aux États-Unis qu'il y a aujourd'hui environ 200 grands musées et collections privées pour attester de l'importance de la sculpture africaine parmi les grands patrimoines artistiques du monde. Représentées dans le présent ouvrage sont 110 de ces collections. Elles reflètent l'intérêt des collectionneurs et des érudits des États-Unis, depuis les artistes et les historiens des cultures professionnellement concernés par l'art africain jusqu'à l'amateur dont l'intérêt pour les arts englobe les réalisations d'une culture éloignée de la sienne.

La valeur d'expression, et la puissance évocatrice pure de la sculpture africaine, aussi bien que sa grande diversité, se révèlent dans les 354 illustrations de ce livre; elles reflètent les styles d'art traditionnel de 106 peuples habitant 32 pays de l'Afrique d'aujourd'hui. Le manque de place n'a pas permis de présenter ici un panorama photographique plus complet les centaines de styles tribaux d'Afrique. En conséquence, quand des échantillons de certains styles n'étaient pas immédiatement disponibles, une représentation plus importante a été réalisée pour certains autres peuples particulièrement prolifiques en sculptures. Ce livre met l'accent, en tous cas, sur la totalité et sur l'unité—malgré sa diversité—de la tradition créatrice africaine: chaque œuvre sculptée, pensons-nous, doit être considérée comme faisant partie de l'héritage culturel de l'Afrique dans son ensemble.

Un effort spécial a été fait pour choisir des œuvres encore jamais reproduites dans un livre (sauf, peut-être, dans des catalogues de musées, à diffusion limitée). Dans un bon nombre de cas, cependant, nous avons reproduit intentionnellement des chefs-d'œuvre qui, bien que familiers aux amateurs, étaient trop importants pour ne pas figurer dans une vue d'ensemble comme celle-ci.

J'espère que, pour une étude comparative, ce livre sera utile à l'expert et à l'étudiant en arts africains. Il s'adresse, cependant, surtout à un public plus large de personnes—Africains et non-Africains à égalité—qui se trouvent professionnellement engagées dans un effort de compréhension politique, sociale et culturelle entre les peuples noirs et blancs du monde. Pour ces spécialistes formés à la diplomatie, aux affaires politiques, à l'économie, à l'enseignement, aux réalisations techniques, à la santé publique, aux relations sociales, au journalisme, etc., qui n'ont souvent pas la pratique du vocabulaire spécialisé du monde des arts, l'art ne présente généralement qu'un intérêt secondaire, et il passe pour en marge des problèmes cruciaux du jour.

Le rapport particulier entre l'art et la compréhension politique et sociale est, j'espère, convenablement indiqué dans l'essai d'introduction qui figure dans ce livre, et qui offre au néophyte une compilation de certaines vues fondamentales et des faits donnant à l'art africain son sens ethnologique et esthétique, afin de lui permettre de mieux l'apprécier. Aucun effort n'a été fait pour présenter en détail un cadre ethnologique ou historique aux illustrations. Ont droit à toute notre reconnaissance les principaux spécialistes en ethnologie et esthétique africaines, pour leurs contributions à une plus pleine compréhension de la culture africaine.

J'ai été très sensible aux excellents conseils et à l'aide éclairée des nombreux

and specialists who readily provided new photographs and information to supplement material already available. That this book constitutes the broadest photographic survey yet published of African tribal sculpture extant in the United States is due entirely to their active and generous cooperation.

I also wish to thank the members of the staff and the friends of the Museum of African Art for their assistance. To Robert Hilton Simmons, a trustee of the Museum and one of its founders, I offer particular thanks. His discerning eye, disciplined mind, and sustained labors have been of inestimable value—and are apparent throughout—in the selection and cataloguing of the illustrations and in the layout of the book.

W. M. R.

Museum of African Art
Washington, D.C.
October, 1965

collectionneurs et spécialistes qui m'ont de grand cœur fourni des photographies nouvelles, et des renseignements complémentaires sur les documents déjà disponibles. Que ce livre représente la vue d'ensemble photographique la plus large publiée à ce jour sur la sculpture tribale africaine existant aux États-Unis, cela est entièrement dû à leur aide active et généreuse.

Je tiens à remercier aussi l'équipe et les amis du Museum of African Art pour leur aide. À Robert Hilton Simmons, un des administrateurs de ce musée dont il fut un des fondateurs, je dois des remerciements particuliers. Son œil exercé, son esprit critique et son travail acharné ont été inestimables—et leur effet marque tout l'ouvrage—pour le choix et la description des illustrations, ainsi que pour la mise en pages du livre.

W. M. R.

Museum of African Art
Washington, D.C.
Octobre 1965

Contents

Table

INDEX TO COUNTRIES AND TRIBAL STYLES REPRESENTED*

* Numbers refer to plates

TABLE DES PAYS ET TRIBUS DONT LES STYLES SONT REPRÉSENTÉS*

* Numéros indiquent planches

AFRICA
ADMINISTRATIVE DIVISIONS
OCTOBER 1964

TUNISIA

MOROCCO

IFNI

ALGERIA

LIBYA

UNITED ARAB REPUBLIC

SPANISH SAHARA

MAURITANIA

MALI

NIGER

CHAD

SUDAN

FRENCH SOMALILAND

SENEGAL
THE GAMBIA

GUINEA

PORT. GUINEA

UPPER VOLTA

DAHOMEY

TOGO

NIGERIA

CENTRAL AFRICAN REP.

ETHIOPIA

SIERRA LEONE

IVORY COAST

GHANA

LIBERIA

CAMEROON

SOMALIA

RIO MUNI

DEMOCRATIC REPUBLIC OF CONGO

UGANDA

KENYA

GABON

CONGO

RWANDA

(BR).

BURUNDI

(Zanzibar)

TANZANIA

ANGOLA

ZAMBIA

MALAWI

MOZAMBIQUE

MALAGASY REPUBLIC

SOUTH-WEST

RHODESIA

WALVIS BAY
(Rep. of S. Af.)

AFRICA

BECHUANA-LAND

SWAZILAND

BASUTOLAND

REPUBLIC OF SOUTH AFRICA

BOUNDARY REPRESENTATION IS
NOT NECESSARILY AUTHORITATIVE

0   500   1000 Miles

0   500   1000 Kilometers

AFRICAN ART

IN AMERICAN COLLECTIONS

L'ART AFRICAIN

DANS LES COLLECTIONS AMERICAINES

—Traditional African Sculpture in the Modern World—

SCULPTURE, as the principal form of traditional art in Africa, comprises a visual literature that is as rich, as subtle, and as variegated as the written literatures of other parts of the world. Just as deeper insight into the values and beliefs of peoples with evolved literatures is to be derived from a study of their written languages, a deeper understanding of the creative heritage of the African peoples may be achieved through a "reading" of the plastic language of African sculpture.

In the universal culture of the world, however, the significance of African art takes on new dimensions. This art must therefore be viewed not only in terms of its original tribal meaning, but in the broader context of modern aesthetic values.

The term "traditional African art" is properly applied to sculpture carved from wood, stone, or ivory, or cast in metal and actually used in tribal life. Although all the African peoples have at one time or another skillfully produced various kinds of art and artifacts in a wide variety of materials, it has been principally in Western and Central Africa and in some instances in the Central Eastern areas of the continent that climatic and political circumstances have permitted a sedentary mode of life conducive to the evolution of an art tradition. Traditional sculpture is usually subdivided stylistically into the Western Sudanese, Guinea Coast, and Congo regions.

More specifically, the principal sculpture-producing area extends from Senegal eastward through Mali and Upper Volta and southward to include Guinea, Sierra Leone, Liberia, Ivory Coast, Ghana, Togo, Dahomey, Nigeria, Cameroon, Gabon, Angola, Congo (Brazzaville), and Congo (Léopoldville). Exceptional works have also come from regions of Tanzania, Zambia, Rhodesia, Mozambique, and the Malagasy Republic, though these areas have been far less prolific.

In Africa, traditional art should be distinguished from contemporary art, which consists primarily of paintings that, although dealing with African themes and incorporating traditional motifs, are executed in the Western manner. It should also be distinguished from "tourist" or "airport" art which, although often reflecting traditional styles, has been produced in great quantities in recent years primarily for popular sale.

The earliest known examples of art in Africa, found in certain regions of East Africa and the Sahara, are cave paintings estimated to be as old as 10,000 years. —

La sculpture traditionnelle africaine dans le monde moderne

L A SCULPTURE, forme principale des arts africains traditionnels, constitue une littérature visuelle aussi riche, subtile et diverse que les littératures écrites des autres parties du monde. Une pénétration plus profonde des échelles de valeurs et des convictions des peuples possédant une littérature évoluée s'obtient par une étude de leur langage écrit; tout de même une compréhension plus profonde du patrimoine créateur des peuples d'Afrique peut être atteinte par une "lecture" du langage plastique de la sculpture africaine.

Dans la culture universelle, cependant, la signification de l'art africain prend des dimensions nouvelles et ne doit donc pas être considérée uniquement dans l'optique de son sens tribal originel; il convient de l'aborder dans le contexte plus ample des valeurs esthétiques modernes.

Le terme "art africain traditionnel" convient plus particulièrement à la sculpture sur bois, sur pierre ou sur ivoire, ainsi qu'au métal coulé, telle qu'elle est effectivement utilisée dans la vie tribale. Bien que tous les peuples africains aient, à une époque ou à une autre, montré une grande habileté à produire des objets d'art ou d'utilité dans un large éventail de matériaux, c'est surtout en Afrique Occidentale et Centrale, et dans certains cas dans les régions centre-orientales du continent, que les conditions climatiques et politiques ont permis une sédentarisation favorable à l'épanouissement d'une tradition artistique. La sculpture traditionnelle est en général subdivisée au point de vue du style en régions du Soudan Occidental, de la Côte de Guinée et du Congo.

Plus précisément, la principale zone produisant de la sculpture s'étend du Sénégal, vers l'est, à travers le Mali et la Haute Volta, et vers le sud pour inclure la Guinée, la Sierra Leone, le Libéria, la Côte d'Ivoire, le Ghana, le Togo, le Dahomey, le Nigéria, le Cameroun, le Gabon, l'Angola, le Congo-Brazzaville et le Congo-Léopoldville. Des œuvres exceptionnelles proviennent aussi des régions de Tanzanie, de Zambie, de Rhodésie, du Mozambique et de la République malgache, bien que ces zones aient été bien moins prolifiques.

En Afrique, il convient de distinguer l'art traditionnel de l'art contemporain qui se compose surtout des peintures qui, encore que traitant les thèmes africains et englobant les motifs traditionnels, sont exécutées à la manière occidentale. Il convient de le distinguer aussi de l'art "touristique" ou "d'aéroport" qui, encore que reflétant souvent les styles traditionnels, s'est trouvé produit en grandes quantités ces dernières années, essentiellement à l'usage d'une clientèle populaire.

Les échantillons les plus anciens que l'on connaisse de l'art africain, découverts dans certaines régions d'Afrique Orientale et au Sahara, sont les peintures pariétales

What is believed to be the oldest extant pottery in the world, dating back 8,000 years, is also African. Between these early examples and later forms of art, however, there are great gaps. Because sub-Saharan archaeology is an infant science—necessitating new methods for coping with climatic and geological conditions far more problematic than those of Egypt and the rest of Northern Africa—not enough has been uncovered yet to enable scholars to reconstruct more completely the evolution of African art.

Nearly all of the available sculpture around which historical hypotheses might be constructed is fairly recent. It is most frequently rendered in wood and, because of its vulnerability to the ravages of climate and the omnipresent termite, seldom lasts more than 100 years (unless it has been removed from its natural environment and preserved in a museum). If not destroyed by hostile natural conditions, such sculpture will usually not survive, in any case, for more than the few generations during which it is actually used. In the Western world, a painting or sculpture, even if originally commissioned for a specific purpose such as a secular portrait or a religious statue, soon comes to have a life of its own and is conserved as a work of art. But in Africa, because most traditional sculpture has a social or religious function, a carving fashioned from a piece of wood becomes once again only a piece of wood when it ceases to serve its intended function, or when religious values or social customs break down under the pressure of outside influence and it loses its meaning. Carvings have sometimes been intentionally destroyed by Africans because they did not serve their purpose well. Numerous art works have been destroyed also by Moslem or Christian proselytizers as the profane works of nonbelievers.

A limited number of works of art from earlier periods have, however, survived in various parts of Africa, and these provide some clues to Africa's cultural evolution. Most notable are the ancient terra-cotta figures described below, and the more recent works in clay or stone from the Sao culture of the Lake Chad area (Plate 206); the Agni figures of the region of the Ivory Coast and Ghana (Plates 113, 114); soapstone figures such as those used as grave markers by the Bakongo people of the Democratic Republic of Congo (Plate 282); and an extremely interesting variety of stone figures of archaic character found in Sierra Leone and used by contemporary peoples in ceremonies encouraging crop fertility, and for other purposes (Plates 51, 52).

Despite the dearth of extant material of any great age, there is, nevertheless, concrete evidence of an ancient tradition of African art that, far from reflecting a culture which has somehow remained frozen in an earlier stage of development, bears witness to its steady evolution. It is becoming possible for the expert to trace the gradual maturation and refinement of tribal styles rooted in traditions hundreds and even thousands of years old. The area that is today Nigeria provides the richest possibilities for such study.

Until very recently, it was customary to attribute certain masterpieces or master styles of ancient African art to the influence of outside cultures, since it was assumed that the indigenous peoples could not possibly have achieved such artistic perfection

des grottes, que l'on estime remonter à 10 000 ans. La poterie que l'on pense être la plus ancienne du monde, qui remonte à 8 000 ans, est également africaine. Entre ces premiers échantillons et les formes postérieures de l'art, il y a cependant de grands vides. L'archéologie de l'Afrique au sud du Sahara est une science embryonnaire, qui exige des méthodes neuves pour faire face à des conditions climatiques et géologiques bien plus difficiles qu'en Égypte et dans le reste de l'Afrique du Nord; on a donc trop peu découvert encore pour permettre aux archéologues de reconstituer de façon suffisante l'évolution de l'art africain.

Presque toutes les sculptures sur lesquelles on pourrait édifier des hypothèses historiques sont assez récentes. Elles sont le plus souvent en bois, et celui-ci, très vulnérable aux intempéries et aux termites qui sévissent partout, résiste rarement plus d'un siècle (sauf s'il a été soustrait à son milieu naturel et mis à l'abri dans un musée). Lorsqu'elles n'ont pas été détruites par un milieu naturel hostile, ces sculptures ne survivent en aucun cas aux quelques générations qui en font effectivement usage. Dans le monde occidental, une peinture et une sculpture, même si elles ont été à l'origine commandées dans un but déterminé, comme portrait profane ou ornement d'église, ne tardent pas à acquérir une vie propre et à être préservées en tant qu'œuvres d'art. En Afrique, par contre, étant donné que les sculptures les plus traditionnelles ont un usage social ou religieux, une sculpture taillée dans un bloc de bois redevient un simple bloc de bois dès qu'elle cesse de répondre à son usage initial, ou quand les valeurs religieuses ou les coutumes sociales cèdent à la pression d'influences extérieures et qu'elle perd sa signification. Des sculptures ont parfois été volontairement détruites par des Africains parce qu'elles n'étaient pas satisfaisantes dans leur usage prévu. De nombreuses œuvres d'art ont également été détruites par des prosélytes musulmans ou chrétiens, pour qui elles représentaient des œuvres profanes dues à des non-croyants.

Un petit nombre d'œuvres d'art remontant aux époques reculées ont, cependant, survécu dans diverses régions d'Afrique, et ces œuvres donnent quelques indications sur l'évolution culturelle de l'Afrique. Les plus remarquables sont les effigies en terre cuite décrites ci-dessous, ainsi que des œuvres plus récentes, en terre glaise ou en pierre, de la civilisation des Sao et de la région du lac Tchad (Illustration N° 206); les figurines Agni de la région de la Côte d'Ivoire et du Ghana (Illustrations N°s 113, 114); les figurines en stéatite telles celles utilisées pour marquer les tombes par les Bakongo de la République du Congo (Illustration N° 282); et une variété très intéressante d'effigies en pierre de caractère archaïque découvertes en Sierra Leone et encore utilisées par les contemporains dans des cérémonies appelant la fertilité sur les récoltes et autres (Illustrations N°s 51, 52).

Malgré la rareté des œuvres de grande ancienneté, il existe des preuves certaines d'une tradition ancienne d'un art africain qui, loin de porter témoignage d'une culture qui se serait figée à son premier stade, atteste d'une évolution constante. Il devient possible pour un spécialiste de retrouver la trace d'une maturation progressive et d'un affinement des styles tribaux, dont les racines plongent dans des traditions vieilles de centaines et même de milliers d'années. La région constituant le Nigéria actuel est la plus riche en possibilités pour une telle étude.

Jusqu'à une époque très récente, l'usage était d'attribuer certains chefs-d'œuvre, ou certains styles remarquables de l'art africain ancien à l'influence de cultures étrangères, car il était généralement admis que les peuples indigènes ne pouvaient pas avoir atteint une telle perfection artistique. On proposait une influence grecque aux

themselves. Thus Greek influence was hypothesized for the realistic terra-cotta heads unearthed in 1910 at Ife, Nigeria, by the German ethnologist Leo Frobenius. Because these heads, believed to have been cast in the twelfth and thirteenth centuries, bear little resemblance to the non-naturalistic sculpture of surrounding tribes and, in fact, resemble more closely early fourth century B.C. Greek sculpture in their surface refinement and classical restraint, it was assumed that their style was the result of European influence. This view was demolished, however, by Bernard Fagg's chance discovery in 1943, in some tin mines near Jos, Nigeria, and later in scattered locations throughout the general area, of terra-cotta heads that have been traced through the carbon dating of fossil materials found with them to the general period 1000 B.C.–300 A.D. The Negroid features of these heads, and certain stylistic relationships to both the Ife heads and sculpture produced by later peoples in the same area, including the present-day Yoruba, destroyed the basis upon which extra-African influence could be predicated, and strengthened the assumption of cultural continuity in the area. How many further relics of what has come to be called the Nok culture, and how many other "lost" cultures of Africa, await discovery remains to be seen, but it is safe to assume that we are only at the beginning of our reconstruction of African history.

In view of its long evolution, it would be more correct to consider African sculpture as a *classical* rather than a *primitive* art. The general use of the word "primitive," when applied to preindustrial societies has, as a matter of fact, been a principal barrier to a proper understanding of African culture. Deriving from the Latin *primus* (original, first), the word has also evolved to mean undeveloped, unsophisticated, simple, or undifferentiated.

The continuing use of the term by art historians and specialists for reasons of convenience regrettably perpetuates confusion in the public mind.

In Western art, the term primitive has been variously used to refer to the works of Grandma Moses, Sunday-painting public figures, and French artists of the *peinture naïve* tradition, such as Rousseau. These artists are called primitive because, in contrast to the African artists, they ignore or are unskilled in the formal rules of their tradition. African art, however, has been termed primitive not because of its own characteristics but because of the non-African's inability to understand it.

To the person unfamiliar with "African art," the term often evokes an image of fiercely menacing masks and fetish figures whose grotesque features hardly fulfill conventional Western standards of beauty. He therefore finds it difficult to consider such forms as art. But such a mode of expression is only one of hundreds of distinct styles of art among the several thousand tribes of Africa. To many of these styles, the names of major phases of Western art could be applied. For purposes of illustration, William Fagg of the British Museum and Margaret Plass of the University Museum in Philadelphia have done just this in their book *African Sculpture,* a valuable and instructive departure from the usual approach to African art. The book's illustrations include a number of pieces that bear many of the same characteristics as

têtes réalistes, en terre cuite, déterrées en 1910 à Ifé du Nigéria par l'ethnologue allemand Léo Frobenius. Etant donné que ces têtes, que l'on pensait avoir été façonnées au XIIème et au XIIIème siècles, ne ressemblent que peu aux sculptures non-réalistes des tribus environnantes, et en fait ressemblent davantage aux sculptures grecques du début du IVème siècle av.J.-C., par leur finition et leur classicisme, il était admis que leur style résultait d'une influence européenne. Cette conception s'effondra, cependant, quand Bernard Fagg découvrit par hasard, en 1943, dans des mines d'étain proches de Jos au Nigéria, et par la suite en des endroits éparpillés dans la région, des têtes en terre cuite que l'on a pu dater au carbone 14, grâce à des matières fossilisées trouvées auprès d'elles, et qui remontent à la période entre 1000 ans av.J.-C. et l'an 300 de notre ère. Les traits négroïdes de ces têtes, et certaines similitudes de style avec à la fois les têtes Ifé et des sculptures de peuples plus récents de la même région, y compris les Yorouba d'aujourd'hui, ont détruit les bases sur lesquelles on pouvait fonder une influence non-africaine, et renforcé l'hypothèse d'une continuité culturelle existant dans la région. Quels autres vestiges de ce qui a fini par être désigné comme "la culture Nok," et d'on ne sait combien d'autres cultures africaines "perdues," attendent d'être retrouvés, cela reste à voir; mais on peut sans crainte déclarer que nous ne sommes qu'au début de notre reconstitution de l'histoire africaine.

En raison de sa longue évolution, il serait plus juste de considérer la sculpture africaine comme un art *classique* plutôt que comme un art *primitif*. L'emploi généralisé du qualificatif "primitif" pour les sociétes préindustrielles a, en fait, constitué le principal obstacle à une compréhension valable de la culture africaine. Issu du latin "primus," "primitif" a fini par signifier non-développé, simpliste, élémentaire et non-différencié.

L'usage perpétué de ce terme par les historiens de l'art et autres spécialistes, pour des raisons de commodité, ancre de façon regrettable cette confusion dans l'esprit du public.

Dans l'art occidental, "primitif" s'emploie dans des sens très divers, pour qualifier les peintures de Grandma Moses, des peintres du dimanche, et des artistes français de la *peinture naïve* tels que le Douanier Rousseau. Ces artistes sont désignés comme primitifs parce que, contrairement aux artistes africains, ils ignorent les règles formelles de leur tradition, ou les appliquent maladroitement. L'art africain, par contre, a été étiqueté "primitif" non en raison de ses caractéristiques propres, mais en raison de l'incapacité des non-Africains à le comprendre.

L'art africain, pour les personnes à qui il n'est pas familier, évoque souvent des masques féroces et menaçants et des fétiches dont les traits déformés ne répondent guère aux canons de beauté occidentaux. Ces personnes ont donc de la difficulté à y voir un art. Mais ce mode d'expression n'est qu'un cas particulier parmi les centaines de styles artistiques différents utilisés par les milliers de tribus d'Afrique. À nombre de ces styles les noms des grandes périodes de l'art occidental peuvent s'appliquer. Pour donner seulement un exemple, William Fagg du British Museum et Margaret Plass de l'University Museum à Philadelphie ont fait exactement cela, dans leur *African Sculpture,* qui s'éloigne de façon autorisée et instructive de la présentation usuelle de l'art africain. Les illustrations de ce livre comprennent bon nombre d'œuvres qui comportent les mêmes caractéristiques que les styles gothique, roman,

the Gothic, Romanesque, Baroque, Rococo, Surrealist, Cubist, Expressionist, and even Assemblage styles in the Western tradition.

In the many styles of African art there is a tremendous range in surface effects achieved by the African artist, from the smooth and highly polished to the calculatedly rough. Although he works with a limited variety of tools, chiefly the adze, a hatchetlike utensil, he maintains complete mastery over both tools and media. His skill extends to other materials in addition to wood, although they are employed less frequently: bronze, copper, brass, cast iron, gold, silver, and ivory. As early as the fifteenth century, the court artists of Benin, for example, mastered the art of cire-perdue (lost wax) bronze casting, a method that presupposes an advanced knowledge of metallurgy (Plates 172–180). Benin artists were equally skilled at carving ivory (Plates 181–185), and certain of their masks and figures are regarded as among the finest works of art man has produced.

While such technical refinements can be grasped readily enough by one who is willing to take the time to look seriously at African sculpture, its ornamental refinements are far more elusive. It has been remarked that a present-day observer of early Greek sculpture is incapable of seeing certain surface refinements which were obvious to the majority of Greek citizens and which were, to them, decisive in judging the quality of a work of art. It would not be an exaggeration to make a similar claim for the incised surface ornamentation occurring on many pieces of African sculpture. At first glance, this ornamentation (which frequently reproduces a tribe's body-scarification patterns) may seem to be completely arbitrary, the result perhaps of a compulsion to cover an entire surface with a design. This is hardly the case, however. In many instances, multiple design systems are used concurrently in ornamenting a single piece, each system carefully adjusted to the composition and the visual rhythm of the others.

The capacity of the African to coordinate multiple systems is even more pronounced in the arts of music and dance, where his use of polyrhythmic structure is unintelligible to those peoples whose sensitivity is not sufficiently developed to hear or observe several distinct rhythmic patterns simultaneously. It is also analogous to the intricate structure of many African languages. Far from being simple and undifferentiated, as was believed before twentieth-century linguistic scientists proved otherwise, they are extremely complex, utilizing intonation, inflection, and gesture with subtlety and precision and calling upon highly specialized vocabularies to convey cultural values not immediately apparent to the non-African. For example, because the reciprocal responsibilities of kinship are the principal cohesive force in tribal life, certain vocabularies differentiate minutely between relatives according to age, matrilineal or patrilineal descendence, sequence of birth, sex, etc. European languages, by contrast, employ fewer and simpler words for familial relationships: "mother," "brother," "aunt," "cousin."

In evaluating traditional African art, it must be recognized, furthermore, that since the separation of art and society which is characteristic of the Western world does not occur in traditional African culture, the particular functions of African art

baroque, rococo, surréaliste, cubiste, expressionniste et même d'assemblage dans la tradition de l'Occident.

Dans de nombreux styles de l'art africain on trouve un très vaste éventail d'effets de surface produits par les artistes africains, depuis le polissage très fin jusqu'au rugueux voulu. Bien que travaillant avec des outils peu variés, au premier rang desquels vient l'adze, sorte d'herminette, l'artiste africain a une maîtrise totale tant de ses outils que de la matière sculptée. Son habileté s'étend aux matériaux autres que le bois, bien qu'ils soient moins fréquemment utilisés: bronze, cuivre, laiton, fonte, or, argent et ivoire. Dès le XVème siècle, les artistes de cour du Royaume du Bénin, par exemple, étaient maîtres dans l'art du bronze coulé à cire perdue, technique qui exige une connaissance avancée de la métallurgie (Illustrations N°s 172–180). Les artistes du Bénin étaient également adroits pour sculpter l'ivoire, et certains de leurs masques et personnages sont classés parmi les plus belles œuvres d'art que l'homme ait produites (Illustrations N°s 181–185).

Alors que de tels raffinements techniques sont assez faciles à saisir par quiconque accepte de prendre la peine de se pencher un peu longuement sur la sculpture africaine, les raffinements ornementaux de celle-ci sont bien plus difficiles à percevoir. On a remarqué que nos contemporains regardant la sculpture grecque antique sont incapables de remarquer certains raffinements de la surface qui étaient évidents pour les citoyens grecs et qui, pour eux, constituaient des éléments décisifs dans l'appréciation d'une œuvre d'art. Il ne serait pas exagéré d'en dire autant du décor incisé apparaissant à la surface d'un grand nombre d'œuvres sculptées africaines. À première vue, cette ornementation (qui reproduit souvent les motifs de scarification de la peau propres à une tribu) peut apparaître totalement arbitraire, une sorte de besoin peut-être de recouvrir toute la surface d'un dessin. Ce n'est guère le cas, pourtant. Très souvent des tracés multiples apparaissent dans l'ornementation d'une pièce donnée, chacun des tracés étant soigneusement inclus dans la composition et dans le rythme visuel des autres.

Le don de l'Africain pour coordonner des composantes multiples est plus marqué encore dans sa musique et ses danses, où son recours à une structure polyrythmique est inintelligible aux autres peuples, dont la sensibilité n'est pas suffisamment exercée à entendre ou à voir simultanément plusieurs thèmes rythmiques distincts. Il y a aussi là une analogie avec la structure complexe de beaucoup de langues africaines. Loin d'être simples et non-différenciées comme on le croyait avant que les linguistes du XXème siècle ne prouvent le contraire, ces langues sont extrêmement complexes et utilisent les intonations, les inflexions et les gestes avec subtilité et précision, et ont recours à des vocabulaires hautement spécialisés pour transmettre des valeurs culturelles qui ne sont pas immédiatement apparentes pour le non-Africain. Pour donner un exemple, en raison des devoirs réciproques du parentage, qui sont la force de cohésion essentielle d'une vie tribale, certains vocabulaires différencient minutieusement le degré de parenté en fonction de l'âge, de l'apparentement par la mère ou par le père, de la primogéniture, du sexe, etc. Les langues européennes, au contraire, emploient des mots moins nombreux et plus simples pour les liens familiaux: "mère," "frère," "tante," "cousin."

Dans les jugements de valeur sur l'art africain, il faut constater que, étant donné que la séparation entre l'art et la vie en société, qui est la caractéristique du monde occidental, n'existe pas dans la culture africaine traditionnelle, le rôle particulier de l'art africain dans la vie tribale doit également entrer en ligne de compte. Il convient

in tribal life should also be examined. And one must be aware, too, that African art, like Oriental art, embodies moral and spiritual values no less articulate than those of other cultures, and must be judged according to how clearly and convincingly it reflects these values.

Until recently, it had often been assumed that the African carver worked spontaneously or compulsively, with the naïve and charming unself-consciousness of a child. This fallacy has been one of the main obstacles to an understanding of African art in the Western world. For the tribal carver a work of art, instead of being a "spontaneous" production, is something that is fully visualized before it is executed. His art may be called *conceptual,* rather than *representational,* since the artist's aim is not to make a duplicate of something but rather to depict an essential concept or conviction about it. It thus differs fundamentally from those more familiar styles of Western art in which the artist's objective was to reproduce as faithfully as possible the world of appearances.

Dr. T. Adeoye Lambo, a Nigerian professor of psychiatry at Ibadan University, has suggested in an address to the American Society of African Culture that the evolution of "original, and almost exclusive art styles" by individual tribes was clear evidence that "the tribal artist was no idle dreamer outlining an unfamiliar, abstract, chance-suggested image or figure, with no deeper motive than the inspiration of the moment, but a worker who knew both what he was doing and why he did it."

For a non-African to be capable of identifying the values embodied in African art, he must recognize that it is a different kind of truth the African is seeking. For traditional African art does more than merely embody isolated concepts; it represents a comprehensive statement of tribal belief. "It is conceivable and in fact probable," Dr. Lambo also states, "that African traditional art was the emotional and intellectual peg on which tribal cultures hung spiritual truths."

It may not be generally known that at the foundation of tribal cultures there is a philosophical system, and that this system is reflected in traditional sculpture. The word philosophy is something usually reserved for those highly structured written formulations which, it is believed, can come only with advanced civilizations. Yet there is considerable evidence that African tribal sculpture, far from reflecting a potpourri of superstition and whimsy, gives concrete form to a highly organized system of thought which has its own logic and its own consistency.

In an introduction to the catalogue of the Webster Plass Collection of African Art at the British Museum, William Fagg refers to the pioneer work of a priest-ethnographer, Placide Tempels, who identified a coherent system of philosophy among the Bantu peoples, the core of which "is an ontology or theory of the nature of being in which 'being' is regarded as a process rather than a state, and 'beings' (including inanimate objects) as manifestations of force or energy rather than matter. Force is not an attribute of being but is itself being." (Fagg notes with characteristic restraint that "the convergence with the findings of modern physics is remarkable, though not to be pressed too far.") "These forces are subject to increase

également de constater que l'art d'Afrique, comme l'art d'Orient par exemple, porte en lui des valeurs morales et spirituelles tout aussi articulées que les arts des autres cultures, et doit donc être jugé sur la clarté et la valeur convaincante avec laquelle il reflète ces valeurs.

On a souvent pensé que le sculpteur africain travaillait, spontanément ou sur commande, avec la décontraction naïve et charmante d'un enfant. Ce faux raisonnement a constitué un des principaux obstacles à la compréhension de l'art africain par le monde occidental. Pour le sculpteur d'une société tribale, une œuvre d'art, loin d'être une création "spontanée," est quelque chose de totalement conçu avant d'être réalisé. C'est un art que l'on pourrait mieux qualifier de *conceptuel* que de *représentatif*, étant donné que le but de l'artiste n'est pas de fournir la reproduction de quelque chose, mais plutôt d'exprimer un concept essentiel, ou une conviction s'y rapportant. Cet art diffère ainsi, fondamentalement, des styles plus familiers de l'art occidental, dans lesquels le but de l'artiste était de reproduire aussi fidèlement que possible le monde des apparences.

Le Dr T. Adeoye Lambo, professeur nigérien de psychiatrie à l'Université d'Ibadan, a indiqué dans une communication à l'American Society of African Culture que l'évolution de "styles artistiques originaux, et presque uniques" par des tribus distinctes constituait une preuve nette du fait que "l'artiste tribal n'était nullement un rêveur désœuvré esquissant une image ou une effigie étrangère, abstraite ou née du hasard, sans mobile plus profond que l'inspiration du moment, mais un ouvrier sachant à la fois ce qu'il faisait et pourquoi il le faisait."

Pour qu'un non-Africain devienne capable d'identifier les valeurs incluses dans l'art africain, il lui faut reconnaître que c'est une vérité d'une autre essence que l'Africain recherche. Car l'art africain fait plus que concrétiser des concepts isolés; il constitue une affirmation d'ensemble des croyances tribales. "Il est concevable, et même probable, affirme également le Dr Lambo, que l'art traditionnel africain était la patère émotionnelle et intellectuelle à laquelle les cultures tribales accrochaient des vérités spirituelles."

Peut-être ne sait-on pas généralement qu'à la base des cultures tribales existe un système philosophique, et que ce système est reflété dans la sculpture traditionnelle. Le mot philosophie est généralement réservé à ces formulations écrites fortement structurées qui, pense-t-on, ne peuvent accompagner que des civilisations avancées. Et il y a néanmoins des preuves solides du fait que la sculpture tribale africaine, loin de refléter un pot-pourri de superstitions et de fantasmagories, donne une forme concrète à un système fortement organisé de pensée possédant sa propre logique et sa propre consistance.

Dans une introduction au catalogue de la collection d'art africain Webster Plass au British Museum, William Fagg se réfère aux travaux de pionnier d'un prêtre ethnologue, Placide Tempels, qui a reconnu un système de philosophie cohérent chez les peuples Bantous, système dont l'épine dorsale "est une ontologie, ou théorie de la nature de l'être, où 'l'être' est considéré comme un processus plutôt que comme un état, et où 'les êtres' (objets inanimés y compris) sont des manifestations d'une force, ou d'une énergie, plutôt que de la matière. La force n'est pas un attribut de l'être, mais constitue l'être en elle-même." (Fagg indique, avec une prudence caractéristique, que "la convergence avec les données de la physique moderne est remarquable, mais ne doit pas être poussée trop loin.") "Ces forces sont sujettes à accroisse-

and diminution under the influence of other forces and existence itself is of variable intensity. Within the context of this system of metaphysics many traits of African culture which appear absurd and inexplicable when stated in European terms—such as the belief that the health of a divine king directly affects the well-being of his people—are readily seen to be intelligible, reasonable and logical."

The possible existence of a philosophical system that explains all phenomena as immanent energy casts light on some of the formal qualities peculiar to African sculpture. The belief that things do not merely symbolize or possess force, but *are* force, may help to explain the particular affinity, noted by many non-African artists and art historians, that the tribal carver has for his materials. This belief also explains the dynamism which many ethnologists and art scholars would identify as the outstanding characteristic of African tribal sculpture. This dynamism or sense of "captive energy" is immediately recognizable even to one who understands nothing about African art. It may in fact account for the very negative reaction it evokes in some people. Dr. Lambo says of traditional sculpture that the "major dynamic force behind its power and influence was its sacredness and mystical force. It developed from the overriding emotional desire to form an image of everything that was worshiped and to attach to that image something of the sanctity of its objects." The African carver's uncanny ability to express his belief in the dynamism of all, not just human, existence explains the monumentality of even some of the smallest pieces of sculpture. Such works, when photographed against a blank background, for example, appear to be many times their actual size (Plates 135–137).

The connection between tribal art and tribal religion thus becomes clear. Since African art is rooted in a philosophy of immanent energy which expresses itself as dynamism or intensity in the sculpture, the sculpture might be expected to play a forceful role in tribal religious life. According to William Fagg, African religion in fact seeks through sculpture, music, and dance, which are forces in themselves, to secure "an increase of the life force available to the tribe, the community, and the individual." Africans believe in "the desirability of increase in the broadest sense and as a principal end of life."

One of the commonest and most remarkable devices used by the African artist to express the basic principle of immanent energy is the exponential, or growth, curve which occurs in nature in the horns of antelope or buffalo and the tusks of elephants. Although African art rarely depicts movement as such, it almost never has the frozen quality of, for example, Egyptian Pharaonic sculpture. Instead, it radiates the life force described by this curve of growth.

As Fagg observes, however, the exponential curve is incorporated in African sculpture "not from any knowledge of mathematics but rather from an intuitive appreciation both of its inherent beauty and of its affinity with the ideas of increase and of vital force." Nor does the tribal carver simply copy this curve as it occurs in nature. The sweep of a horn or tusk will be echoed in every curve of a sculptural

ment et diminution sous l'influence d'autres forces, et l'existence elle-même est variable en intensité. Dans le contexte de ce système de métaphysique, de nombreux aspects de la culture africaine, qui apparaissent absurdes et inexplicables lorsqu'ils sont exprimés en termes européens—tels que la croyance que la santé d'un roi divin affecte directement le bien-être de son peuple—apparaissent facilement intelligibles, raisonnables et logiques."

L'existence possible d'un système philosophique qui explique tous les phénomènes par l'énergie immanente éclaire certaines qualités formelles propres à la sculpture africaine. La croyance que les objets ne se contentent pas de symboliser ou de posséder une force, mais *sont* une force, peut aider à expliquer les affinités particulières, remarquées par de nombreux artistes et historiens d'art non-africains, que le sculpteur tribal possède avec ses matériaux. Cette croyance explique également le dynamisme que de nombreux ethnologues et spécialistes d'art aiment considérer comme la caractéristique dominante de la sculpture tribale africaine. Ce dynamisme, ou sens d'une "énergie captive" est immédiatement discernable même pour quelqu'un qui ne comprend rien à l'art africain. Il peut même expliquer la réaction très négative que cet art provoque chez certaines personnes. Parlant de la sculpture traditionnelle, le Dr Lambo dit que "le dynamisme que étaye son pouvoir et son influence est son caractère sacré et sa force mystique. Cette sculpture est issue d'un irrésistible besoin émotionnel de former une image de tout ce qui était vénéré, et d'attacher à cette image quelque chose du sacré de ses buts." La mystérieuse capacité du sculpteur africain d'exprimer sa croyance en un dynamisme de toute existence, et pas seulement humaine, explique l'aspect monumental même de certaines de ses sculptures les plus petites. De telles œuvres, quand on les photographie sur un fond neutre, par exemple, ont l'air d'être bien plus grandes qu'en réalité (Illustrations N°s 135–137).

Le lien entre l'art tribal et la religion tribale devient ainsi clair. Puisque l'art africain plonge ses racines dans une philosophie d'énergie immanente qui s'exprime par le dynamisme ou l'intensité dans la sculpture, on peut s'attendre à voir la sculpture jouer un rôle primordial dans la vie religieuse de la tribu. Selon William Fagg, la religion africaine cherche effectivement, à travers la sculpture, la musique et la danse, qui sont des forces en elles-mêmes, à s'assurer "un accroissement de la force vitale disponible pour la tribu, la communauté et l'individu." Les Africains croient "souhaitable l'accroissement dans son sens le plus large, comme but principal de la vie."

Un des procédés les plus courants et les plus remarquables auxquels recourt l'artiste africain pour exprimer le principe de base de l'énergie immanente est la courbe exponentielle, ou courbe de croissance, qui se présente dans la nature dans les cornes de l'antilope ou du buffle et dans les défenses de l'éléphant. Bien que l'art africain représente rarement le mouvement en tant que tel, il n'a presque jamais l'aspect figé de sculptures telles que l'égyptienne pharaonique. Au contraire, il irradie la force vitale décrite par cette courbe de croissance.

Comme le fait remarquer Fagg, la courbe exponentielle apparaît cependant incorporée dans la sculpture africaine "non par quelque connaissance des mathématiques mais plutôt par une appréciation intuitive à la fois de sa beauté inhérente et de son affinité avec les idées d'accroissement et de force vitale." Le sculpteur tribal ne se contente pas non plus de copier cette courbe telle qu'elle se présente dans la nature. L'envolée d'une corne ou d'une défense résonnera en écho dans toutes les

figure, determining the shape of the entire head and neck, the eyes, the ears, etc. Bambara antelopes (Plates 5–7, 9–12) are an especially eloquent example of how this single curve is carried throughout an entire sculpture, lending it rhythm, unity, and aliveness.

Observers are frequently disturbed by what they regard as "distortions" in African sculpture. In human figure carvings, the head, breasts, navel, genitals, and feet are often exaggerated, and in animal carvings the head and horns will be emphasized at the expense of trunk and limbs. What some people might construe as a defect of the "primitive" eye is actually a conscious and eminently logical system of emphasis. The human head is singled out since in African belief it is the abode of character and destiny; the breasts and genitals, because as embodiments of progenitive power they are all-important in life; the navel, because it is a symbol of continuity in life; animal horns and tusks, because they represent virility and fertility.

Shunning the precise systems of measurement and perspective which have long been part of the Western art tradition, the African carver feels no obligation to conform to what may be regarded as "natural proportions." To him, not to emphasize those things which are conceptually important would be a form of distortion. It would be more useful to replace the concept of distortion, which does not apply to the value system of the African, with that of abstraction. African sculpture is essentially an abstract art and, when regarded as such, can serve to make modern Western art more comprehensible to the layman. Like the modern Western artist, the African carver "abstracts" those features which are most salient to him. The judgment as to which features are important may vary between the two cultures, but the process of reduction of forms to what is essential and meaningful is the same for both.

There is, however, a fundamental difference between African and Western abstraction. In Africa, abstractions assume traditional forms which, although they may appear in considerable variety within a specific stylistic tradition, are recognized and understood by the members of the tribe. By contrast, the forms Western abstractions take have their source in the mind of the individual artist, and therefore may not be immediately recognizable to the observer.

The African carver's ability to convey philosophical meaning through abstract visual symbols is as unmistakable a sign of intellectual power, in the view of Professor S. I. Hayakawa, an eminent American teacher and social scientist, as the ability of Western philosophers to convey meaning through verbal abstraction. Just as meaning is communicated at several levels in spoken and written language through innumerable nuances of structure, phrasing, and intonation that transcend literal word meanings, there are undoubtedly levels of meaning in African carving, Hayakawa believes, which have thus far escaped the notice of non-Africans whose sensibility is not yet attuned to them, but which, if properly understood, would lead to a radical re-evaluation of the African personality.

African carvings play specific roles in every area of tribal life. In the form of masks, headdresses, human and animal figures—the latter often ingenious configura-

courbes d'une effigie sculptée, déterminant la forme de toute la tête, du cou, des yeux, des oreilles, etc. Les antilopes Bambara (Illustrations Nos 5–7, 9–12) sont un exemple particulièrement éloquent de la façon dont cette courbe unique imprègne la sculpture entière, lui donnant son rythme, son unité et sa vie.

L'on est souvent surpris de ce que l'on peut considérer comme des "distorsions" dans la sculpture africaine. Dans une effigie humaine la tête, les seins, le nombril, les organes génitaux et les pieds sont souvent amplifiés, et dans les représentations d'animaux la tête et les cornes seront mis en valeur au détriment du corps et des membres. Ce que certains peuvent considérer comme un défaut de l'observation "primitive" est en fait un procédé conscient et essentiellement logique d'accentuation. La tête humaine est mise en valeur parce que dans les croyances africaines elle est le siège du caractère et de la destinée; les seins et les organes génitaux parce qu'investis de la puissance procréatrice ils sont essentiels dans la vie; le nombril parce qu'il est un symbole de la continuité de la vie; les cornes d'animaux et les défenses parce qu'ils représentent la virilité et la fécondité.

Refusant les systèmes précis de mensuration et de perspective qui ont longtemps fait partie de la tradition artistique occidentale, le sculpteur africain ne se sent nullement obligé de se conformer à ce que l'on peut tenir pour des "proportions naturelles." Pour lui, ne pas accentuer les choses qui sont importantes du point de vue conceptuel serait une forme de distorsion. Il serait plus utile de remplacer l'idée de distorsion, qui ne s'applique pas au système de valeurs de l'Africain, par l'idée d'abstraction. La sculpture africaine est essentiellement un art abstrait et, quand on la considère ainsi, elle peut servir à rendre l'art occidental contemporain mieux perceptible pour le profane. Comme l'artiste occidental moderne, le sculpteur africain "abstrait" les caractéristiques qui lui paraissent essentielles. L'opinion sur les traits qui sont les plus importants peut différer d'une culture à l'autre, mais le processus de réduction des formes à ce qui est essentiel et significatif est le même pour toutes.

Il y a, cependant, une différence fondamentale entre l'abstraction africaine et l'occidentale. En Afrique, les abstractions prennent des formes traditionnelles qui, bien qu'elles puissent apparaître sous des aspects très variés dans une tradition de style spécifique, sont reconnues et comprises par les membres de la tribu. Au contraire, les formes que prennent les abstractions occidentales ont leur source dans l'esprit de l'artiste-individu, et peuvent par conséquent ne pas être immédiatement reconnues par celui qui les regarde.

La capacité du sculpteur africain à transmettre une signification philosophique par le moyen de symboles visuels abstraits est un signe incontestable de puissance intellectuelle, estime le Professeur S. I. Hayakawa, éminent enseignant américain et savant sociologue, tout comme la capacité des philosophes occidentaux à transmettre une pensée par l'abstraction verbale. De même que la pensée se transmet à divers niveaux par la langue parlée et écrite à travers d'innombrables nuances de structure, de tournures et d'intonations qui transcendent le sens propre des mots, il existe sans aucun doute des niveaux de signification dans la sculpture africaine, estime Hayakawa, qui ont jusqu'ici échappé à l'attention des non-Africains dont la sensibilité n'y est pas faite, mais qui, si on les comprenait convenablement, conduiraient à une réévaluation radicale de la personnalité africaine.

Les sculptures africaines jouent un rôle spécifique dans toutes les manifestations de la vie tribale. Sous forme de masques, de coiffures, d'effigies humaines et animales

tions reflecting the composite nature of the spirits they represent—they lend force in the most literal sense to rituals concerned with every aspect of human experience.

Masks, for instance, may be used variously to maintain social order, arbitrate disputes, collect debts, preside over initiation ceremonies, assure success in hunting or war, placate the harmful forces that would bring disease or calamity to the tribe, or sometimes simply for purposes of entertainment or satire. Many masks perform functions not unlike those carried out by certain Western symbols. Like a policeman's or soldier's uniform, for example, a mask can be an instrument of law enforcement. Certain masks used in African tribunals could be compared to the wig traditionally worn in British courts. But whereas the British wig is invested with no force of its own, the tribal mask not only represents, but embodies, authority. Furthermore, it is not merely a temporal authority that it embodies, but the full power of ancestral spirits. Perhaps the study with the greatest insight yet made of the functions of masks in tribal society is the monograph *Masks as Agents of Social Control in Northeast Liberia,* written by the American medical missionary Dr. George W. Harley and published by Harvard University's Peabody Museum.

Certain carvings are manifestations of deities called upon to control such phenomena as rain, lightning and natural catastrophes, birth and fertility among human beings and animals, and the growth of crops. Fetish figures invested with magical powers are believed to bring good to a family or tribe, to protect the users from harm, punish evildoers, etc. Their effectiveness resides in the very strength of belief in them. Divination implements are frequently carved in the form of receptacles for bones or nuts, which are read like cards or tea leaves in the West. Some of the finest small sculptures are made to serve purposes similar to those of amulets, talismans, and charms in Western custom. Other sculptures are commissioned as portraits of wealthy or important people, as grave markers, or to commemorate famous personages.

Ancestor worship, common to the traditional beliefs of the Orient, South America, and other areas of the world, is perhaps the most prevalent form of religious practice throughout Africa. Carved figures are believed to be the actual repository for what in many parts of the world would be called the soul of the ancestor. Their presence assures the family or tribe of continuing access to the deceased person's life force, thereby creating a sense of continuity with the past.

In Africa, art is employed not only to venerate, appease, and enlist the support of the spirit world and to lend force to those rituals designed to keep the individual bound to society at critical moments of life (puberty, marriage, birth); it serves as well to reinforce concepts of proper everyday behavior and to create a healthy fear of evil and of the disasters attendant upon wrongdoing. Ashanti gold weights, for example, provide in their enormous range of subject matter a microcosmic view of tribal life. In many cases they illustrate tribal proverbs, some of which have survived in American Negro folklore.

—ces dernières étant souvent des juxtapositions ingénieuses reflétant la nature composite des esprits qu'elles représentent—elles donnent de la force dans le sens le plus littéral du mot à des rites reliés à tous les aspects de l'existence humaine.

Les masques, par exemple, peuvent avoir des usages variés pour maintenir l'ordre social, pour arbitrer des conflits, pour faire acquitter des dettes, pour présider des rites d'initiation, pour assurer la réussite dans la chasse ou la guerre, pour apaiser des forces néfastes qui pourraient apporter la maladie ou une calamité sur la tribu, ou parfois simplement pour apporter un spectacle distrayant ou satirique. De nombreux masques ont une destination différant peu de certains symboles d'Occident. Tout comme un uniforme de policier ou de soldat, par exemple, un masque peut être un instrument des forces de l'ordre. Certains masques utilisés dans les tribunaux africains peuvent être comparés à la perruque traditionnelle des tribunaux britanniques. Mais, alors que la perruque britannique n'est investie d'aucune force propre, le masque tribal non seulement représente mais incarne l'autorité. De plus, ce n'est pas une simple autorité temporelle qu'il incarne, mais toute la puissance des esprits ancestraux. L'étude qui pénètre le mieux les fonctions des masques dans les sociétés tribales est peut-être à ce jour la monographie *Masks as Agents of Social Control in North-east Liberia* (*Les masques considérés comme instruments de maintien de la structure de la société dans le nord-est du Libéria*) dont l'auteur est un médecin missionnaire américain, le Dr George W. Harley. Cette monographie a été publiée par le Peabody Museum de la Harvard University.

Certaines sculptures sont les manifestations de déités auxquelles on fait appel pour régenter des phénomènes tels que la pluie, le tonnerre et les catastrophes naturelles, les naissances et la fécondité des humains et des animaux, et la fertilité des champs. Des effigies-fétiches investies de pouvoirs magiques passent pour apporter des bienfaits à une famille ou à une tribu, pour protéger ceux qui y recourent, pour punir les méchants, etc. Leur efficacité réside dans la force même de la foi qu'on a dans les fétiches. Le matériel de divination est souvent sculpté en forme de récipient pour des os ou des noix, que l'on consulte comme les cartes ou les feuilles de thé en Occident. Certaines des plus fines parmi les petites sculptures sont destinées à des usages similaires à ceux des amulettes, talismans et charmes des Occidentaux. D'autres sculptures sont des portraits de personnages riches ou importants, des poteaux funéraires, ou servent à commémorer des personnages célèbres.

Le culte des ancêtres, commun aux croyances traditionnelles de l'Orient, de l'Amérique du Sud et d'autres régions du monde, est peut-être la forme de pratique religieuse la plus répandue à travers l'Afrique. Les effigies sculptées sont considérées comme le lieu où repose ce que dans bien des parties du monde on appellerait l'âme de l'ancêtre. Leur présence assure à la famille ou à la tribu la continuité de l'usage de la force vitale du défunt, créant ainsi une sensation de continuité avec le passé.

En Afrique, l'art ne sert pas seulement à vénérer, apaiser et obtenir le soutien du monde des esprits, et à donner de la force aux rituels conçus pour maintenir l'individu lié à la communauté aux moments de l'existence qui peuvent être considérés comme des tournants (puberté, mariage, naissance); il sert également à renforcer les concepts d'une bonne conduite quotidienne, et à créer une peur salutaire du mal et des désastres entraînés par la mauvaise conduite. Les poids des peseurs d'or Ashanti, par exemple, donnent dans le large éventail de leurs sujets, une vue microcosmique de la vie tribale. En de nombreux cas ils illustrent des proverbes tribaux, dont certains ont survécu dans le folklore des noirs d'Amérique.

In tribes with a well-defined social hierarchy, carvings are also used to identify the authority of living rulers and to enhance their prestige. In such tribes, chairs, houseposts, doors, staffs, tools, and weapons are often intricately ornamented in order to leave no doubt about the owner's social status.

Most tribal art, then, promotes social cohesion by reinforcing emotional ties and communication within the group. It reassures the individual that he will meet the crises of life with confidence and success, that his own vitality and that of his tribe will remain intact, and that justice will be done. It is perhaps the most eloquent expression in African life of the universal human attempt to render comprehensible what is bewildering, frightening, and unpredictable in experience.

Sometimes tribal art is made purely for decorative purposes, however. This is the case with much of the art of the Baule people of the Ivory Coast (Plates 80–94), which is secular rather than religious. Implements like the weaving pulleys of the Guro tribe of the Ivory Coast (Plates 74–77) are frequently incised with complex abstract designs or carved into human or animal heads for no other reason than sheer delight in beauty. The African artist avoids artificial distinctions between the utilitarian and the artistic, and his wish to adorn even those tools and utensils which in other societies would warrant no decoration contradicts the view that there is no bona fide aesthetic sense underlying African art.

Scholars in the field of aesthetics have come to some entirely new conclusions in recent years concerning the nature of African art. A pioneer study of the art of the Yoruba people of Nigeria by Robert Thompson of the Yale University Department of Art History discloses a complex and consistent aesthetics system that contains many parallels with Western ideals. Through interviews with seventy-seven Yorubas, Thompson delineated nineteen distinct criteria for evaluating a piece of sculpture. The Yoruba consider it undesirable, for example, to imitate nature too scrupulously, but they find too great a degree of abstraction equally reprehensible. Although they admire skill in carving—and distinguish between skill in linear incising and blocking out larger masses—the Yoruba consider other qualities far more important: a balanced clarity of line and mass; straightness and symmetry; smoothness and luminosity of surface; and compositional balance. Perhaps the most interesting criteria are the high valuation of youthfulness in the depiction of the human figure; delicacy, including surface refinement; and "coolness." To the Yoruba, coolness means polish, composure, and control. The Western equivalent of this quality is best expressed in the jazz term "cool," which, having come into the American vocabulary via Negro musicians, may itself bear a close relationship to the concept. (The application of such criteria as the above is to be seen in Plates 150–169.)

One thing that emerges from Thompson's detailed analysis of these criteria is their remarkable proximity to those artistic canons of classical Greece upon which the tradition of Western art has been built. Thompson encountered a reluctance on the part of some Yoruba to state their artistic principles, because they deemed Westerners incapable of appreciating aesthetic refinements.

Dans les tribus où existe une hiérarchie sociale bien définie, les sculptures servent de plus à affirmer l'autorité des chefs vivants et à rehausser leur prestige. Dans ces tribus les sièges, poteaux de cases, portes, cannes, outils et armes comportent souvent des décors compliqués destinés à ne laisser aucun doute quant à la situation sociale de leur propriétaire.

La majeure partie de l'art tribal, dans ces cas, pousse à la cohésion de la communauté en renforçant les liens émotionnels et la communication à l'intérieur du groupe. Cet art réaffirme à l'individu qu'il pourra faire face aux moments difficiles avec confiance et qu'il en triomphera, que sa propre vitalité et celle de sa tribu resteront intactes, et que justice sera rendue. C'est peut-être la plus éloquente expression, dans la vie africaine, de l'effort de toute l'humanité pour rendre compréhensible ce qui surprend, effraie et reste imprévisible dans l'existence.

L'art tribal est, cependant, parfois conçu uniquement dans un but de décoration. Tel est le cas pour une grande part de l'art du peuple Baoulé en Côte d'Ivoire (Illustrations Nᵒˢ 80–94), art plus profane que religieux. Des accessoires comme les bobines à tisser de la tribu Gouro de Côte d'Ivoire (Illustrations Nᵒˢ 74–77) sont fréquemment gravés de motifs abstraits complexes ou façonnés en têtes humaines ou animales sans raison autre que la joie d'embellir. L'artiste africain évite les distinctions artificielles entre l'utilitaire et l'artistique; et son désir d'orner même les outils et ustensiles qui dans les autres sociétés ne présenteraient aucun ornement contredit l'opinion qu'il n'y a pas de sens artistique, au sens propre, sous-jacent dans l'art africain.

Les érudits en matière artistique sont parvenus à certaines conclusions entièrement renouvelées, au cours des dernières années, en ce qui concerne la nature de l'art africain. Défrichant le sujet de l'art des populations Yorouba du Nigéria, une étude de Robert Thompson du département d'Histoire de l'Art à la Yale University découvre un ensemble esthétique complexe et cohérent qui comporte de nombreux parallèles avec les idéaux d'Occident. Après avoir interviewé soixante-dix-sept Yorouba, Thompson a déterminé dix-neuf critères distincts pour donner une estimation d'une sculpture. Les Yorouba considèrent indésirable, par exemple, une imitation trop scrupuleuse de la nature, mais ils estiment également répréhensible une abstraction trop poussée. Bien qu'ils admirent l'art du sculpteur (et fassent une distinction entre l'adresse à inciser un tracé linéaire et l'art de façonner des masses plus importantes), les Yorouba tiennent d'autres qualités pour bien plus importantes: une nette répartition du tracé et des volumes; la rectilignité et la symétrie; le poli et la luminosité des surfaces; l'équilibre de la composition. Le critère le plus intéressant est peut-être le grand prix attaché à la jeunesse dans la représentation du corps humain; la délicatesse, traitement des surfaces y compris; et la "fraîcheur." Pour les Yorouba, fraîcheur évoque le poli, le calme et la maîtrise. L'équivalent occidental qui exprime le mieux cette qualité est le terme "cool," de la terminologie du jazz qui, entré dans le vocabulaire américain par les musiciens noirs, peut comporter une proche relation avec le concept en question. (La mise en pratique des critères ci-dessus se voit dans les illustrations Nᵒˢ 150–169.)

Un fait qui émerge de l'analyse détaillée de ces critères par Thompson est leur remarquable parenté avec les canons artistiques de la Grèce classique, sur lesquels a été édifiée la tradition de l'art occidental. Thompson a constaté une résistance de la part de certains Yorouba qui hésitaient à exposer leurs principes artistiques, car ils estimaient les Occidentaux incapables d'apprécier les raffinements artistiques.

The Yoruba have a venerable tradition of art criticism, Thompson discovered. Their present-day critics are unsparing and extraordinarily precise in their judgments, to the extent of having a special vocabulary for this activity. The concern for aesthetic excellence is as intense and widespread among the Yoruba as in the West. The critic's role in each society is, however, very different. In the West, the art critic interprets as well as criticizes, whereas in Africa there is no need for such interpretations. The meanings and forms of African art are already familiar to the members of a tribe, and the critic's judgments differ from those of the community not in kind but in refinement.

Paul Bohannan of Northwestern University writes that among the Tiv people of Nigeria, criticism focuses mainly on art itself rather than on the "creative process" which is the subject of so much speculation in the West. While one might guess from the functions of African art and from its philosophical bases that there would tend to be relatively little interest in the artist and his processes, Africans are acutely sensitive to, and greatly value, individual genius. William Fagg, who in the course of his extensive work in Nigeria has been able to distinguish between the work of many individual artists, confirms that tribal critics are acutely aware not only of different individual styles but of the difference between greater and lesser artists.

Traditions of conscious, articulate art criticism have also been discovered in Dahomey, the Ivory Coast, Liberia, and elsewhere in Africa; but a great deal of further investigation will be necessary in order to form a fuller picture of tribal aesthetics.

Les Yorouba ont une tradition vénérable de critique d'art, devait constater Thompson. Leurs critiques d'art contemporains sont sévères et extraordinairement précis dans leurs jugements, au point d'avoir un vocabulaire spécial pour leur fonction. Le souci de la qualité esthétique est aussi vif et répandu parmi les Yorouba qu'en Occident. Le rôle des critiques dans ces deux sociétés est, cependant, très différent. En Occident, le critique d'art interprète en même temps qu'il juge, alors qu'en Afrique il n'y a aucun besoin d'interprétation. Les significations et les formes de l'art africain sont déjà bien connues des membres d'une tribu, et l'appréciation des critiques diffère de celle de la communauté non dans l'esprit, mais par la subtilité.

Paul Bohannan, de la Northwestern University, écrit que parmi les Tiv du Nigéria la critique s'attache surtout à l'art lui-même plutôt qu'au "processus de création" qui fait l'objet de tant de spéculations en Occident. Alors qu'on pourrait déduire du rôle de l'art africain et de ses bases philosophiques que la tendance devrait être d'accorder relativement peu d'intérêt à l'artiste et à ses procédés, les Africains sont extrêmement sensibles au génie individuel et en font très grand cas. William Fagg qui, au cours de ses longs travaux au Nigéria, a été capable de distinguer le travail d'un bon nombre d'artistes particuliers, confirme que les critiques des tribus sont parfaitement conscients non seulement des différents styles individuels, mais aussi de la différence entre les grands artistes et ceux de moindre envergure.

Des traditions d'une critique artistique consciente et bien charpentée ont également été découvertes au Dahomey, en Côte d'Ivoire, au Libéria et ailleurs en Afrique, mais il faudra encore beaucoup de recherches pour pouvoir établir une image plus complète de l'esthétique tribale.

– *African Art and Modern Western Art*

A GREAT DEAL has been written and said about the influence of African sculpture on the pioneers of twentieth-century Western art. Much of it, however, has tended to justify African art largely in terms of a supporting role instead of encouraging recognition of its own stature. Nevertheless, from a consideration of the relationship of the two and of the kind and degree of influence that African sculpture has had on modern Western art, a clearer understanding of both may emerge.

It should perhaps be pointed out first that although there is often a remarkable and fascinating superficial resemblance between certain pieces of African sculpture and certain Western works, the two arts are fundamentally different in both function and execution.

African sculpture, as has been explained, is a traditional art. Although the carver is allowed considerable leeway for improvisation, he must work within the framework of the tribal style handed down to him by his predecessors. The measure of his success, and the criterion by which his society judges the beauty of his work, is how well he conforms to this style while simultaneously expressing his own personal interpretation. His is therefore necessarily a conforming art.

By contrast, modern Western art sprang from a revolutionary attempt by artists to free themselves from the stultifying effects of a 2,000-year-old Greek-influenced tradition which from the late sixteenth through the eighteenth century had grown more and more effete. They wished to get out of what the French painter Derain called "the rut in which realism has landed us." Theirs was thus a nonconforming art.

Collected first as ethnological specimens and curios, African sculpture had begun by the end of the nineteenth century to accumulate in European natural history museums and to find its way into the hands of dealers in antiques and exotic arts. But even the ethnologists of the time were not sufficiently free of European ethnocentrism to see in this sculpture anything but a medium for studying the habits and customs of peoples whom they then regarded as strange and inferior.

It remained for a handful of painters in Germany and France at the beginning of the twentieth century to recognize and awaken others to the power and beauty of African art. Gauguin had already paved the way for interest in "primitive" art when he rejected his "bourgeois life in Paris" to live among and paint the natives of Tahiti. The ground had also been prepared, in another sense, by Cézanne who, with

L'art africain et l'art occidental moderne

ON A ÉNORMÉMENT écrit et dit sur l'influence exercée par la sculpture africaine sur les pionniers de l'art occidental du XXème siècle. Une grande part de ces commentaires ont cependant eu tendance à présenter l'art africain essentiellement comme ayant joué un rôle d'inspiration, au lieu de pousser à le reconnaître comme un art en soi. Néanmoins, d'une prise en considération des liens existant entre les deux et du genre comme du degré d'influence que la sculpture africaine a eu sur l'art occidental moderne peut naître une plus claire compréhension de l'un comme de l'autre.

Il convient peut-être de commencer par faire ressortir que, malgré la fréquente, remarquable et fascinante ressemblance superficielle entre certaines sculptures africaines et certaines œuvres occidentales, les deux arts sont fondamentalement différents, tant par leur fonction que par leur réalisation.

La sculpture africaine, comme nous l'avons vu, est un art traditionnel. Bien que le sculpteur ait une très large marge pour l'improvisation, il est tenu de travailler dans le cadre du style tribal légué par ses prédécesseurs. Son degré de réussite, et le critère qui permet à sa communauté de juger de la beauté de son travail, sont déterminés par la façon dont il se plie à ce style tout en exprimant sa propre interprétation personnelle. Son art est donc de toute nécessité un art conformiste.

Tout au contraire, l'art occidental moderne a surgi d'un effort révolutionnaire d'artistes qui voulaient se libérer des contraintes devenues sans valeur d'une tradition deux fois millénaire inspirée de la Grèce antique et qui, de la fin du XVIème jusqu'à la fin du XVIIIème avait achevé de se vider de sa substance. Ils voulaient se sortir de ce qu'André Derain a appelé "l'ornière dans laquelle le réalisme nous a enfoncés." Leur art était donc anticonformiste.

Réunies en collections à l'origine au titre de spécimens d'ethnologie et de curiosités, les sculptures africaines avaient, vers la fin du XIXème siècle, commencé à s'accumuler dans les musées d'histoire naturelle d'Europe, et à se frayer un chemin jusque chez les marchands d'antiquités et d'objets d'art exotiques. Mais même les ethnologues du temps n'étaient pas suffisamment libérés de l'ethnocentrisme européen pour voir dans cette sculpture autre chose qu'un instrument pour l'étude des us et coutumes de peuples qu'ils tenaient pour étrangers et inférieurs.

Il restait à une poignée de peintres, en Allemagne et en France, au début du XXème siècle, à reconnaître la beauté et la puissance de l'art africain, et à amener leurs contemporains à les reconnaître aussi. Gauguin avait déjà frayé le chemin à un intérêt pour l'art "primitif" lorsqu'il rejeta sa "vie bourgeoise à Paris" afin de

his famous dictum "you must see in nature the cylinder, the sphere, and the cone," is regarded as the precursor of the revolutionary Cubist movement.

The artists of Germany and France were drawn to African sculpture for different reasons, however. Such painters as Kirchner, Heckel, Schmidt-Rottluff, and others who formed the German Expressionist movement were in revolt against the materialistic values of the time and sought a new art based upon nonrational principles. Their fascination with mysticism and occultism as possible sources of artistic liberation attracted them to the "magical" qualities of African art and led them to recognize instinctively its emotional and philosophical content. They saw in its immediacy, and in its gravity, alternatives to the dryness and sentimentality that had come to characterize Western art. For them, the highly charged proportions, the abstract forms, and the somber, non-naturalistic coloration of African sculpture offered not merely intriguing formal possibilities but the means to a new and unabashed emotionality.

Another German painter, Emil Nolde, derived from African art entirely new concepts of the independent emotional possibilities of color. Coming to conceive of the picture not as a mirror or window but rather as a flat surface which would itself evoke powerful and unfamiliar responses, he found confirmation of certain of his own goals in African art—in "the intense, often grotesque expression of energy and life in the simplest possible forms."

The German Expressionists chose subject matter that was familiar and appealing to the romantic German—landscapes, Biblical themes, flowers, nudes—but their rejection of realism in favor of an art that gave expression to an intense inner vision shocked the public mind of the time. During the Nazi period, their work was declared "degenerate art" by Hitler. Today, it is regarded as one of the pivotal movements in modern art.

In Paris, a group of artists were also seeking new means of expressing their exasperation with both contemporary values and the strictures of aesthetic tradition. But whereas in Germany the Expressionists sought to do this by an undisguised emotionalism, in France the most significant innovations were in the handling of structure and space. Sparked by Picasso and Braque, the founders of Cubism, the Paris group found in African sculpture corroboration for their own revolutionary ideas, deriving inspiration from its geometric forms and elegant abstract qualities, and from its freedom from taboo in the treatment of the human form. Braque, to whom the whole Renaissance tradition, with its hard and fast rules of perspective, was antipathetic, said that the Negro masks of African art opened up a new horizon to him because they allowed him to make contact with instinctive things, with direct manifestations which were in opposition to the false tradition which he abhorred.

The direct effect of African sculpture on Picasso's and Braque's Cubism remains problematical, in part because of the artists' unwillingness, despite their avowed admiration for African art, to acknowledge direct influences of any kind. But whatever the extent and nature of this influence, what is really significant is that African

vivre et de peindre parmi les indigènes de Tahiti. Le terrain avait aussi été préparé, dans un autre sens, par Cézanne qui, avec sa formule "il faut voir dans la nature le cylindre, la sphère et le cône," est considéré comme le précurseur du révolutionnaire mouvement cubiste.

Les artistes d'Allemagne et de France étaient cependant attirés vers la sculpture africaine pour des raisons différentes. Des peintres tels que Kirchner, Heckel, Schmidt-Rottluff et autres, qui formaient le mouvement expressionniste allemand, étaient en révolte contre les valeurs matérialistes de leur temps et cherchaient un art neuf basé sur des principes non-rationnels. Ils étaient fascinés par le mysticisme et l'occultisme considérés comme sources possibles d'une libération artistique, ce qui les avait attirés vers les vertus "magiques" de l'art africain, les amenant à reconnaître instinctivement son contenu émotionnel et philosophique. Ces artistes voyaient dans le style direct et grave de l'art africain un palliatif à la sécheresse et au sentimentalisme qui avaient fini par caractériser l'art occidental. Pour eux, les proportions fortement accentuées, les formes abstraites et les couleurs sombres non-naturalistes de la sculpture africaine, ne représentaient pas seulement des possibilités formelles excitantes pour l'esprit, mais aussi une voie vers l'expression d'une émotion neuve et hardie.

Un autre peintre allemand, Emil Nolde, tira de l'art africain des concepts entièrement neufs sur les possibilités émotionnelles indépendantes que comportent les couleurs. Quand il en vint à concevoir un tableau non comme un miroir ou une fenêtre, mais plutôt comme une surface plate qui elle-même évoque des réponses puissantes et déroutantes, il trouva une confirmation à certains de ses buts dans l'art africain: "l'expression intense, souvent caricaturale de l'énergie et de la vie dans les formes les plus simples possibles."

Les Expressionnistes allemands choisissaient des sujets familiers et attirants pour l'Allemand romantique—paysages, scènes bibliques, fleurs, nus—mais leur refus du réalisme auquel se substituait un art exprimant une intense vision intérieure scandalisa l'opinion publique de leur temps. Tout au long du nazisme leurs œuvres furent proclamées par Hitler "art dégénéré." Aujourd'hui on voit dans ces toiles un des pivots de l'art moderne.

À Paris, un groupe d'artistes cherchait aussi un nouveau moyen d'exprimer son exaspération devant à la fois les valeurs admises par leurs contemporains et les contraintes de la tradition esthétique. Mais alors qu'en Allemagne les Expressionnistes cherchaient à exprimer cela par une libération des émotions, les innovations les plus significatives qui apparurent en France concernaient le maniement de la structure et de l'espace. Aiguillonnée par Picasso et par Braque, les fondateurs du Cubisme, l'École de Paris trouva dans la sculpture africaine une confirmation de ses idées révolutionnaires, tirant son inspiration des formes géométriques, de l'élégance des qualités d'abstraction, et de la libération des tabous relatifs à la représentation du corps humain. Braque, qui avait horreur de toute la tradition de la Renaissance et de ses règles dures et rigides sur la perspective disait de l'art africain que les masques nègres lui ouvraient un horizon nouveau parce qu'ils lui permettaient de prendre contact avec les données instinctives, avec les manifestations directes se trouvant en opposition avec la fausse tradition dont il avait horreur.

L'influence directe de la sculpture africaine sur le Cubisme de Picasso et de Braque reste à démontrer, en partie à cause de leur peu d'enthousiasme, malgré leur admiration proclamée pour l'art africain, à reconnaître une influence directe d'aucune

sculpture, which embodies a unique attempt to answer questions that have plagued men in all cultures, leaps out of its cultural context and speaks to all men. If Europe and America have best communicated their vision in literature and philosophy, Africa has most perfectly embodied hers in plastic art, and it is important both for Africans, who are witnessing the breakdown of tribal life, and for other peoples, who are awakening to the richness of other cultures, to recognize in African sculpture one of the most profoundly *communicative* arts man has yet produced.

Referring to a recent exhibition of African sculpture, the eminent British aesthetician Sir Kenneth Clark, in a talk at the Bicentennial Celebration of the Smithsonian Institution in Washington, D.C., called for "the appreciation of primitive art . . . [as] the basis of a new humanism." It may be that in the future, as the worlds of Africa and the West merge more and more into the totality of world culture, the creative strength of the African personality, which is so evident in tribal sculpture, will contribute far more profoundly to human fulfillment than can yet be imagined.

sorte. Mais nonobstant la controverse sur l'importance et la nature de cette influence, ce qui reste véritablement significatif c'est que la sculpture africaine, dans laquelle se concrétise un effort unique pour répondre aux questions qui obsèdent tous les hommes, dans toutes les cultures, s'échappe de son contexte culturel et parle à tous les hommes. Si l'Europe et l'Amérique ont mieux réussi à exprimer leur vision par la littérature et la philosophie, l'Afrique a mieux réussi à inclure la sienne dans les arts plastiques, et il est important à la fois pour les Africains, qui assistent à la fin de la vie tribale, et pour les autres peuples, qui s'éveillent à la richesse des autres cultures, de reconnaître dans la sculpture africaine un des arts les plus profondément *communicatifs* que l'homme ait à ce jour produits.

Parlant d'une récente exposition de sculpture africaine, l'éminent amateur d'art britannique Sir Kenneth Clark, dans un discours à la cérémonie du bicentenaire de la Smithsonian Institution de Washington, D.C., a demandé que l'on "reconnaisse dans l'art primitif . . . la base d'un nouvel humanisme." Il se peut que dans l'avenir, à mesure que les mondes africain et occidental se fondront de plus en plus dans une culture humaine globale, la force créatrice de la personnalité africaine, qui est tellement évidente dans la sculpture tribale, contribue à l'épanouissement de l'homme de façon bien plus profonde qu'on ne pourrait encore l'imaginer.

—African Art in America

ACCORDING to a survey being prepared by Professor Roy Sieber of the University of Indiana for the African Studies Association, examples of traditional African sculpture are to be found in as many as 1,000 American art collections. Approximately 100 of these general collections are in public ethnological or art museums, of which 50 may be considered major collections of African art. An additional 150 collections of major importance are in private hands.

Because the United States was never a colonial power in Africa, most of this art has found its way to America by way of Europe, through museum exchange or private purchase. Some, however, has been acquired through scientific expeditions organized by American museums and universities.

The tradition of African carving was not carried on by Negroes in America. It ceased abruptly among them when tribal associations which might have sustained and motivated the art were destroyed by slave owners. The creative skill that in Africa produced great sculpture found new, expression, however, in the work of certain Negro master craftsmen who, particularly in the Southern States, produced fine examples of furniture and other household objects during the eighteenth and nineteenth centuries.

Probably the first piece of African art displayed in an American museum was a stringed musical instrument brought back from West Africa in 1800 by a New England sea captain and presented to the Massachusetts Historical Society. Of greater artistic significance is an ivory hunting horn (Plates 223, 223a) acquired in 1826 on the Guinea Coast and donated to the Boston Athenaeum. Both of these objects became part of the ethnological collection of the Peabody Museum, established in 1867 by Harvard University.

In 1890, the Cincinnati (Ohio) Art Museum purchased a Balumbo figure of the finest sculptural quality (Plate 244), to become the first major art museum in the United States to display African art in its permanent galleries. The figure is related to the kind of "spirit mask" (Plate 245) used in funerary dances among the Balumbo and related tribes along the Ogowe River in Gabon. The bronzelike precision in the carving of details and the rhythmic relationship of headdress, breasts, legs, and other parts to the structure of the whole place this figure among the most important extant examples of classic African art.

The Commercial Museum of Philadelphia, Pennsylvania, founded in that important trading city in the nineteenth century, was a repository for commercial raw materials from all over the world. In exchange for botanical specimens, it first began

L'art africain en Amérique

IL RESSORT d'une enquête que mène actuellement le Professeur Roy Sieber de l'Indiana University, pour l'African Studies Association, que des spécimens de sculpture africaine traditionnelle se trouvent dans un bon millier de collections d'art d'Amérique. Une centaine de ces collections d'ensemble se trouvent dans des musées ethnologiques ou artistiques ouverts au public, et une cinquantaine de ces dernières peuvent être considérées comme des collections de premier ordre d'art africain. Environ 150 collections de premier ordre appartiennent à des particuliers.

Etant donné que les États-Unis n'ont jamais eu de colonies en Afrique, la plus grande partie de ces œuvres sont parvenues en Amérique via l'Europe, par échanges entre musées ou par achats personnels. Certaines ont, cependant, été acquises grâce à des expéditions scientifiques organisées par des musées ou des universités américaines.

La tradition de sculpture africaine n'a pas été maintenue par les noirs en Amérique; elle s'est interrompue brutalement quand les associations tribales, qui auraient pu faire vivre et motiver cet art, furent détruites par les propriétaires d'esclaves. Le don de création, qui, en Afrique, avait produit de la grande sculpture, trouva une nouvelle expression, cependant, dans le travail de certains maîtres-artisans noirs qui, surtout dans les états du Sud, ont produit de très beaux meubles et autres objets d'intérieur, au cours des XVIIIème et XIXème siècles.

La première œuvre d'art africain à avoir été présentée dans un musée d'Amérique fut probablement un instrument de musique à cordes collectionné en 1800 en Afrique Occidentale par le capitaine d'un bateau de la Nouvelle-Angleterre, et offert à la Massachusetts Historical Society. Une corne de chasse en ivoire (Illustrations Nos 223, 223a) a une signification artistique plus importante; elle fut acquise en 1826 sur la Côte de Guinée, et offerte au Boston Athenaeum. Ces deux objets ont fini par faire partie de la collection d'ethnologie du Peabody Museum, créé en 1867 par la Harvard University.

En 1890 le Cincinnati (Ohio) Art Museum faisait l'acquisition d'une effigie Balumbo de la plus haute valeur sculpturale (Illustration N° 244); ce musée allait être le premier des grands musées d'art américains à faire entrer l'art africain dans ses collections permanentes. Cette effigie s'apparente aux "masques d'esprits" (Illustration N° 245) utilisés dans les danses funéraires des Balumbo et tribus apparentées, le long du fleuve Ogooué au Gabon. La précision de bronze de la sculpture des détails, et l'harmonie de rythme entre la coiffure, les seins, les jambes et autres parties de l'œuvre situent cette effigie parmi les exemples les plus importants que l'on possède de l'art africain classique.

Le Commercial Museum de Philadelphie, en Pennsylvanie, fondé au XIXème siècle dans cette importante ville commerciale, était un entrepôt des matières premières brutes provenant du monde entier. Il commença à acquérir des œuvres d'art

to acquire examples of African art in the 1890's from the ethnological museums of Vienna and Berlin. It later received the objects that had been displayed by the Liberian Government at Chicago's Columbian Exposition of 1892–93. From the 1900 Paris International Exposition the Museum acquired additional sculpture and craftwork such as weaving and basketry, including the monumental Bachokwe figure from Angola (Plate 328) and the geometrically abstract ceremonial stool from Senegal (Plate 1).

The first prominent American collector of African art was Commodore Matthew C. Perry (1794–1858). In 1844, ten years before he signed the Treaty of Friendship with the Shogun of Japan, which opened that country to the stimulus of contact with other cultures, Perry, in command of an American naval vessel, was ordered to patrol the West Coast of Africa where shipping lanes were being seriously threatened by pirates. During a landing on the Cavally River near Cape Palmas, Liberia, the Commodore collected the impressive mask (Plate 59) now on exhibition at the Smithsonian Institution.

Probably the first artist to form an extensive private collection of African art was the British sculptor Herbert Ward, whose collection is also in the Smithsonian Institution. Born into a distinguished family, Ward became a kind of prototype of the "citizen of the world." As a young man, he accompanied the explorer Sir Henry Stanley to Africa in 1884, remaining until 1886. Later, Ward turned seriously to art, establishing a studio in Paris where he attempted, in his words, to "portray the African nature in bronze." His highly "realistic" representations of Africans in symbolic attitudes won him official honors from the French Government during the same decade of the twentieth century when, ironically, German and French artists were being inspired in their own struggles against official opinion by the "abstract" qualities of African sculpture. Although Ward's art was part of no stylistic revolution, his life and efforts have a continuing significance. He was "more than an explorer and sculptor," E. F. Baldwin wrote on the occasion of the 1922 opening of Ward's collection at the Smithsonian, "he had another lifework—to bring about international friendship. No one labored more tellingly than he to engender understanding and sympathy and friendly feeling between nations."

It was due perhaps to the influence of Ward's American wife that the souvenirs of his adventures and friendships in Africa form today an important part of the Smithsonian's nineteenth-century African art collection. They include the severely classic Bakota reliquary mask (Plate 241) and the Baluba test board (Plate 315) displayed in the refurbished African galleries of its Natural History Museum, and the fine Basundi "thumb-piano" player (Plate 247) now on long-term loan to the Washington Museum of African Art.

Following the early, somewhat fortuitous collecting of African sculpture in the United States, a more intensive phase began at the turn of the century when universities and associated museums began to sponsor ethnological field studies of remote cultures throughout the world. An expedition to the then Belgian Congo organized by the American Museum of Natural History in New York collected, for example,

africain à partir de 1890, en procédant à des échanges avec les musées d'ethnologie de Vienne et de Berlin auxquels il envoyait des spécimens botaniques. Il reçut par la suite les objets qui avaient été présentés par le gouvernement du Libéria à la Columbian Exposition de Chicago, en 1892–93. À l'Exposition Internationale de Paris de 1900, le musée acquit d'autres sculptures et œuvres telles que tissus et vanneries; parmi ces œuvres figuraient l'effigie monumentale Bachokwe d'Angola (Illustration N° 328) et le siège de cérémonie géométriquement abstrait provenant du Sénégal (Illustration N° 1).

Le premier grand collectionneur américain d'art africain fut le Commodore Matthew C. Perry (1794–1858). En 1844, dix ans avant de signer le Traité d'Amitié avec le Shogoun du Japon, et d'ouvrir ainsi ce pays au contact stimulant avec d'autres cultures, Perry, commandant un navire de guerre américaine, avait reçu l'ordre de patrouiller le long de la côte occidentale d'Afrique, où les voies de navigation étaient sérieusement menacées par des pirates. À l'occasion d'un débarquement à l'embouchure du Cavally, près de Cap Palmas au Libéria, le Commodore se procura le masque impressionnant (Illustration N° 59) qui se trouve actuellement à la Smithsonian Institution.

Il semble que le premier artiste à se constituer une grande collection privée d'art africain ait été le sculpteur britannique Herbert Ward, dont la collection se trouve également à la Smithsonian Institution. Né d'une famille distinguée, Ward devint une sorte de prototype de "citoyen du monde." Encore jeune, il accompagna l'explorateur Sir Henry Stanley en Afrique, en 1884, et il y resta jusqu'en 1886. Par la suite, Ward devait se consacrer sérieusement à l'art, installant à Paris un studio dans lequel il allait tenter, comme il disait, de "représenter en bronze la nature africaine." Ses productions "réalistes" représentant des Africains dans des attitudes symboliques lui valurent des distinctions officielles du gouvernement français pendant les dix années justement où, par une ironique coïncidence, les artistes allemands et français étaient inspirés dans leur lutte contre le goût officiel par les qualités "abstraites" de la sculpture africaine. Bien que l'art de Ward ne s'inscrive dans aucune révolution de styles, sa vie et ses efforts eurent une portée durable. Pour le vernissage de la présentation des collections de Ward à la Smithsonian Institution, en 1922, E. F. Baldwin écrivit: "Il fut plus qu'un explorateur et un sculpteur, il consacra sa vie à l'effort de créer l'amitié entre les hommes de tous pays. Personne n'œuvra de façon plus efficace à engendrer la compréhension, la sympathie et les sentiments d'amitié entre les nations."

C'est peut-être sous l'influence de la femme, américaine, de Ward que les souvenirs des aventures et des amitiés de celui-ci en Afrique constituent aujourd'hui une part importante de la collection d'art africain du XIXème siècle de la Smithsonian Institution. On y trouve le masque-reliquaire Bakota, d'un classicisme sévère (Illustration N° 241), et la planche d'épreuve initiatique Baluba (Illustration N° 315) présentés dans les salles refaites à neuf de son Natural History Museum et le beau joueur de "sauza" Basoundi (Illustration N° 247), actuellement prêté pour une longue période au Washington Museum of African Art.

Après ces débuts, assez fortuits, des collections d'art africain aux États-Unis, une phase plus organisée commença au début du XXème siècle quand les universités et les musées qui en dépendent commencèrent à financer des recherches ethnologiques sur le terrain, pour les cultures éparpillées à travers le monde. Une expédition dans ce qui était alors le Congo belge, organisée par l'American Museum of Natural His-

the Mangbetu drum (Plate 266) and vase (Plate 260) and the figure of a woman and child (Plate 265) found in an Azande village but now believed to be of Mangbetu manufacture. Expeditions organized by Harvard University and led by Professors George Schwab, Oric Bates, and others, brought to light such objects as the subtle and delicate Bulu reliquary figure of a woman (Plate 219), collected in the Cameroons in 1922, and the large and forceful ancestral figures (Plates 224, 225) found in 1930 in the coastal regions of Spanish Guinea (Río Muni). The gourd vessel (Plate 208) decorated with a stylized version of an elephant hunt, one of a number collected in 1929 in the Anglo-Egyptian Sudan, offers a glimpse of one branch of the visual arts that, because of the domination of sculpture, is not usually associated with black Africa.

The museum of the University of Pennsylvania in Philadelphia, whose activities in the field of archaeology have unearthed important records of early civilizations on the Mediterranean shores of Africa, built one of the most important museum collections in the United States during the first three decades of the century, which was augmented in later years by gifts from Mr. and Mrs. Webster Plass and others. The figure of a woman (Plate 194) from the Kingdom of Brass is probably the finest example of its kind in existence. Two other collections of African art are to be found at the Philadelphia Museum of Art and at the Barnes Foundation.

Rivaling Philadelphia as a major center for African sculpture is New York City, where four important collections are located. The American Museum of Natural History and the Brooklyn Museum both contain superb older works representative of the major tribes of Africa. The Schomburg Collection of Negro Literature and History, established in 1925 at the Harlem branch of the New York Public Library, also includes several very select works.

The best-known public collection in New York, and unquestionably one of the finest in the world, is that of the Museum of Primitive Art, which was established in 1957 through the initiative of a vitally interested art collector, humanitarian, and political figure, Nelson Rockefeller, now Governor of the State of New York. Together with exhibitions of the arts of the Pacific, pre-Columbian Latin America, the Indian and Eskimo peoples of the North American continent, etc., the Museum periodically displays both its own permanent collection of African sculpture and important private collections. It has made a particular contribution to the available literature on African art with the publication of a series of excellent books, monographs, and catalogues.

With the establishment in 1964 of the Museum of African Art in Washington, D.C., the capital city of the U.S. now has three collections open to the public. In contrast to the Smithsonian Institution, which displays African sculpture in faithfully reconstructed ethnological surroundings, the Museum of African Art stresses its aesthetic importance, displaying in juxtaposition with certain African sculptures selected works of modern Western art to illustrate derivation or influence. The Museum is the first such institution in the country dedicated exclusively to portraying the rich creative tradition of Africa. The third collection of African sculpture in Wash-

story de New York, en ramena, entre autres objets, le tambour Mangbétou (Illustration Nº 266) et le vase (Illustration Nº 260), ainsi que l'effigie d'une femme avec un enfant (Illustration Nº 265), découverts dans un village Azandé, mais que l'on pense maintenant être d'origine Mangbétoue. Des expéditions organisées par la Harvard University, placées sous la direction des Professeurs George Schwab, Oric Bates et quelques autres, ont ramené au jour des objets tels que la subtile et délicate effigie de reliquaire Boulou (Illustration Nº 219), ramenée du Cameroun en 1922, et les grandes et puissantes effigies d'ancêtres (Illustrations Nºˢ 224, 225) trouvées en 1930 dans les régions côtières de la Guinée espagnole (Rio Muni). Le récipient en calebasse (Illustration Nº 208) décoré d'une chasse à l'éléphant stylisée, qui fait partie d'un lot rapporté en 1929 du Soudan anglo-égyptien, donne un aperçu d'une variété des arts visuels dont, en raison de la prédominance de la sculpture, on oublie parfois l'existence en Afrique Noire.

Le musée de l'University of Pennsylvania, à Philadelphie, dont les activités archéologiques ont déterré des données importantes sur les premières civilisations des côtes méditerranéennes d'Afrique, a constitué une des plus importantes collections des États-Unis au cours des trente premières années du siècle, collection qui s'est accrue ensuite grâce à des dons de M. et Mme Webster Plass et de quelques autres. L'effigie de femme (Illustration Nº 194) provenant du Royaume de Brass est sans doute le plus bel échantillon connu de son genre. Deux autres collections d'art africain se trouvent au Philadelphia Museum of Art et à la Barnes Foundation.

Rivale de Philadelphie pour le titre de grand centre de sculpture africaine, New York possède quatre collections importantes. L'American Museum of Natural History et le Brooklyn Museum possèdent tous les deux de magnifiques œuvres plus anciennes, représentatives des principaux peuples tribaux d'Afrique. La Collection Schomburg de Littérature et d'Histoire Nègres, installée en 1925 dans la filiale de Harlem du New York Public Library, comprend elle aussi quelques œuvres de très grande valeur.

La collection new yorkaise publique la mieux connue, et indiscutablement une des plus belles du monde, est celle du Museum of Primitive Art, fondé en 1957 sur l'initiative d'un collectionneur passionné, philanthrope et homme politique, Nelson Rockefeller, actuellement Gouverneur de l'État de New York. En même temps que des expositions consacrées aux arts du Pacifique, de l'Amérique Latine précolombienne, et des peuples indien et esquimau du continent nord-américain, ce musée présente périodiquement à la fois sa propre collection permanente de sculpture africaine et d'importantes collections privées. Ce musée a apporté une remarquable contribution à la littérature consacrée à l'art africain, en publiant toute une série d'excellents livres, monographies et catalogues.

Depuis la fondation en 1964 du Museum of African Art, à Washington, D.C., la capitale des États-Unis possède maintenant trois collections ouvertes au public. Contrairement à l'exposition du Smithsonian Institution, où la sculpture africaine est présentée dans un cadre ethnologique fidèlement reconstitué, le Museum of African Art met l'accent sur l'importance esthétique de cet art, juxtaposant certaines sculptures africaines avec des œuvres choisies de l'art occidental moderne, afin d'illustrer les filiations et influences. Ce musée est la première institution américaine vouée exclusivement à la mise en valeur de la riche tradition créatrice de l'Afrique. La troisième collection de sculpture africaine de Washington se trouve à la Howard University. La majeure partie de cette belle collection, qui possède une représenta-

ington is located at Howard University. The greater part of this fine collection, which has an exceptionally good representation of Ashanti gold weights, was donated by the distinguished philosopher and writer Alain L. Locke, the first Negro-American Rhodes scholar.

Two major public collections of African sculpture are located in Chicago, Illinois. The Museum of Natural History has a particularly fine representation of the art of the Cameroons as well as one of the most important collections of Benin bronzes in the world. The Art Institute of Chicago is another of the American fine arts museums that have significant collections of African art. Important collections are also to be found in museums in Cleveland and Toledo, Ohio; Buffalo and Rochester, New York; Newark, New Jersey; Baltimore, Maryland; Detroit, Michigan; St. Louis and Kansas City, Missouri; Denver, Colorado; Minneapolis, Minnesota; Milwaukee, Wisconsin; Houston, Texas; Los Angeles, California; Seattle, Washington; and Portland, Oregon.

The fine arts or anthropology departments of a number of American universities and colleges also maintain collections of African art. In addition to those already referred to, Arizona, California (Berkeley), California (Los Angeles), Hampton, Indiana, Iowa, Northwestern, Oberlin, Smith, Tuskegee, and Yale should be noted.

Supplementing the permanent collections of museums and universities, major exhibitions of African sculpture have been held periodically in the United States since 1914. In that year the first two exhibitions of African art *as art* were held at two New York private galleries. These shows provided an echo of the shock the American art world had experienced the year before when a revolutionary and historical exhibition of abstract paintings and sculpture was held at the New York Armory.

Two decades later, in 1935, James Johnson Sweeney, a pioneer in the fostering of appreciation of African art in America, organized a loan exhibition of more than 600 pieces for the Museum of Modern Art in New York. A review of the show published in *The Literary Digest,* a popular and respected news magazine of the day, warned the visitor that he must "strip himself of all preconceived notions of this art and clear his critical sense for a series of new impacts and flavors."

Other important loan exhibitions have been held in San Francisco in 1948, at Howard University in Washington, D.C., in 1953, and at the 1961 UNESCO conference on Africa in Boston. At this exhibition, contemporary African art was featured for the first time on any significant scale in America. The leading sponsor of the contemporary art section was the Harmon Foundation, a principal instrument, since its establishment in 1922, through which present-day creative developments in Africa are becoming better known in the United States.

Art patronage and art education in America have resulted primarily from private initiative. Only in recent years has government, whether on the federal, state, or local level, begun actively to encourage and subsidize the arts. Thus, most of the great museum collections throughout the country—indeed the museums themselves—are tangible evidence of the American tradition of private philanthropy.

tion exceptionnelle de poids Ashanti à peser l'or, est le don du distingué philosophe et écrivain Alain L. Locke, le premier noir américain ayant reçu une bourse Rhodes pour l'Oxford University (Angleterre).

Deux grandes collections publiques de sculpture africaine se trouvent à Chicago. Le Museum of Natural History possède un très bel échantillonnage de l'art du Cameroun, ainsi qu'une des plus importantes collections du monde des bronzes du Bénin. L'Art Institute of Chicago fait aussi partie des musées américains consacrés aux beaux-arts à posséder des collections remarquables d'art africain. On trouve également des collections importantes dans les musées de Cleveland et de Toledo dans l'Ohio; de Buffalo et de Rochester dans l'état de New York; de Newark dans le New Jersey; de Baltimore dans le Maryland; de Detroit dans le Michigan; de St. Louis et de Kansas City dans le Missouri; de Denver dans le Colorado; de Minneapolis dans le Minnesota; de Milwaukee dans le Wisconsin; de Houston au Texas; de Los Angeles en Californie; de Seattle, dans l'état de Washington et de Portland dans l'Oregon.

Les départements des beaux-arts ou d'anthropologie de nombreux universités et *colleges* américains ont eux aussi des collections d'art africain. En plus de celles déjà citées, il convient de noter les universités et *colleges* portant les noms de: Arizona, California (Berkeley), California (Los Angeles), Hampton, Indiana, Iowa, Northwestern, Oberlin, Smith, Tuskegee et Yale.

Pour compléter les collections permanentes des musées et des universités, d'importantes expositions de sculpture africaine sont organisées périodiquement aux États-Unis depuis 1914. Cette année-là, les deux premières expositions d'art africain présenté *comme un art* furent organisées dans deux galeries privées de New York. Ces expositions vinrent comme un écho du choc subi par les milieux artistiques américains l'année précédente, lors de l'exposition révolutionnaire et historique de peinture et de sculpture abstraite présentée au New York Armory.

Vingt ans plus tard, en 1935, James Johnson Sweeney, un pionnier de la propagation d'une connaissance de l'art africain en Amérique, organisa une exposition d'objets prêtés comprenant plus de 600 pièces, au Museum of Modern Art de New York. Un compte rendu publié dans "The Literary Digest," magazine populaire et coté de l'époque, prévenait ses lecteurs que "le visiteur doit se dépouiller de toutes notions préconçues sur cet art, et libérer son sens critique pour accueillir toute une série de chocs et de saveurs inédits."

D'autres expositions importantes ont été organisées, à San Francisco en 1948, à la Howard University de Washington en 1953, et à la conférence de l'UNESCO sur l'Afrique à Boston, en 1961. À cette dernière, l'art africain contemporain fit l'objet de la première exposition à grande échelle qu'ait connue l'Amérique. Cette section d'art contemporain était patronnée surtout par la Harmon Foundation, qui depuis qu'elle a été établie en 1922 a été l'organisme essentiel grâce auquel l'évolution créatrice contemporaine de l'Afrique est de mieux en mieux connue aux États-Unis.

L'encouragement aux arts, et l'éducation artistique, ont été en Amérique le résultat surtout de l'initiative privée. C'est dans le cours des dernières années seulement que les autorités gouvernementales, à l'échelon fédéral, à l'échelon des états ou à l'échelon local, ont commencé à encourager et subventionner sérieusement les arts. Ainsi la plupart des grandes collections des musées dans l'ensemble des États-

If great wealth in America has brought with it art patronage, as was the case in Renaissance Italy and the ancient kingdoms of Africa, the special tendency among American art collectors has been to make the people at large the ultimate beneficiaries of their lifelong pursuit of artistic excellence. Consequently, many of the collections of African art in American museums today were originally assembled by private individuals who applied to them the same exacting standards of taste, scope, and authenticity reflected in the illustrious collections of the great art of other areas of the world.

In the future, the dimensions of such philanthropy will be international, for it is recognized by many collectors that as museums are gradually established in Africa by national governments they will require collections that reflect the art traditions of all the peoples of the continent. In response to the initiatives of the respective African nations in establishing adequate facilities and administrative support for the conservation and public display of art treasures, many works of African art in American collections can be expected to find their way back to their original sources. A number of excellent museums already exist in Africa and more can be anticipated as soon as the urgent political and economic priorities of nation-building permit governments to focus upon the creation of public cultural institutions.

In the meantime, the presence of African art in the museums and private collections of America, Europe, and other areas has served vital purposes for mankind, not only by preserving this art for posterity and making possible its study and interpretation by scholars but, equally important, by providing the foundation for a new bridge of mutual understanding and respect among the peoples of the world.

Unis—et les musées eux-mêmes d'ailleurs—sont les preuves tangibles de la tradition américaine de philanthropie privée.

Si l'existence de grandes fortunes en Amérique a entraîné un soutien aux arts, comme cela avait été le cas, par exemple, dans l'Italie de la Renaissance et dans les anciens royaumes d'Afrique, une tendance particulière aux collectionneurs américains fait que le grand public est en dernier ressort le bénéficiaire de leur vie d'efforts en faveur des beaux-arts. En conséquence, beaucoup des collections d'art africain figurant aujourd'hui dans les musées d'Amérique ont été à l'origine réunies par des particuliers qui les soumettaient aux mêmes sévères critères du goût, du rayonnement et de l'authenticité que les arts des autres parties du monde représentés dans les collections célèbres.

À l'avenir, cette philanthropie s'exercera à l'échelle internationale, car de nombreux collectionneurs reconnaissent qu'à mesure que des musées sont installés en Afrique par les gouvernements nationaux, ces musées auront besoin de collections reflétant les traditions artistiques de tous les peuples du continent. Répondant aux initiatives des diverses nations africaines pour créer l'infrastructure administrative nécessaire à la conservation et à la présentation au public des trésors artistiques, un grand nombre des œuvres d'art africain des collections américaines reprendront sans doute le chemin du retour vers leurs lieux d'origine. Un certain nombre d'excellents musées existent déjà en Afrique, et on peut s'attendre à voir leur nombre s'accroître aussitôt que les priorités urgentes, politiques et économiques, de l'établissement des nations permettront aux gouvernements de porter leurs efforts sur la création d'institutions culturelles ouvertes au public.

En attendant, la présence de l'art africain dans les musées et les collections privées d'Amérique, d'Europe et des autres parties du monde a rendu un service essentiel à l'humanité, non seulement en sauvegardant cet art pour la postérité et en rendant possible son étude et son interprétation par les spécialistes mais, chose tout aussi importante, en posant les fondations d'une nouvelle compréhension et d'un nouveau respect mutuels entre les peuples du monde.

Selected Bibliography

Bibliographie sommaire

AMERICAN SOCIETY OF AFRICAN CULTURE. *Pan Africanism Revisited.* Berkeley, California, 1960.

BOHANNAN, PAUL. *Africa and Africans.* New York, 1964.

DAVIDSON, BASIL. *The Lost Cities of Africa.* Boston, 1959.

————. *Old Africa Rediscovered.* London, 1959.

ELISOFON, ELIOT, & FAGG, WILLIAM. *The Sculpture of Africa.* London & New York, 1958. (*La sculpture africaine.* Paris, 1958.)

FAGG, WILLIAM. *Nigerian Images.* London & New York, 1963.

————. *Tribes and Forms in African Art.* New York, 1965.

————, & PLASS, MARGARET. *African Sculpture: An Anthology.* London & New York, 1964.

FORMAN, W. & B., & DARK, PHILIP. *Benin Art.* London, 1959.

GOLDWATER, ROBERT. *Bambara Sculpture of the Western Sudan.* New York, 1960.

————. *Senufo Sculpture from West Africa.* New York, 1964.

GRIAULE, MARCEL. *Arts de l'Afrique noire.* Paris, 1947.

————. *Masques dogons.* Paris, 1963.

HERSKOVITS, MELVILLE. *The Myth of the Negro Past.* Boston, 1958.

JAHN, JANHEINZ. *Muntu: The New African Culture.* London & New York, 1961.

LEM, F. H. *Sudanese Sculpture.* Paris, 1949.

LEUZINGER, ELSY. *Africa: The Art of the Negro Peoples.* New York, 1958. (*Afrique, l'art des peuples noirs.* Paris, 1962.)

————. *African Sculpture.* Zurich, 1963.

MCCALL, DANIEL F. *Africa in Time Perspective.* Legon (Ghana) & Boston, 1964.

MURDOCK, GEORGE P. *Africa: Its People and Their Cultural History.* New York & London, 1959.

PAULME, DENISE. *Les sculptures de l'Afrique noire.* Paris, 1956.

————. *L'art sculptural nègre.* Vols. 1 & 2. Paris, 1962.

RADIN, PAUL, & SWEENEY, JAMES JOHNSON. *African Folktales and Sculpture.* Rev. Ed. New York, 1964.

SMITH, MARIAN, ET AL. *The Artist in Tribal Society.* New York, 1961.

TROWELL, MARGARET. *Classical African Sculpture.* London & New York, 1964.

TURNBULL, COLIN M. *The Lonely African.* New York, 1962.

UNDERWOOD, LEON. *Figures in Wood of West Africa: Statuettes en bois de l'Afrique occidentale.* London & New York, 1947.

————. *Masks of West Africa: Masques de l'Afrique occidentale.* London & New York, 1952.

WHITE, L. A. *The Evolution of Culture.* New York, 1959.

PLATES

PLANCHES

Dimensions indicate height of the objects, except where length (L.) or diameter (D.) is specified.

Names of tribes precede names of countries.

Names of tribes are given according to the preferred spelling used in George P. Murdock, *Africa: Its People and Their Cultural History* (New York, 1959). For tribes in the Congo area, however, because of common usage, names are given retaining the "Ba" prefix, which indicates the plural, or "people," with the singular in parentheses.

Les dimensions indiquent la hauteur des objets, sauf où la longeur (L.) ou le diamètre (D.) est précisé.

Les noms des tribus précèdent les noms des pays.

On donne les noms des tribus selon l'orthographe préférée dans *Africa: Its People and Their Cultural History* (New York, 1959) de George P. Murdock. Pour les tribus dans la région du Congo, cependant, selon l'usage courant, on donne les noms préfixés de "Ba," qui indique le pluriel, ou "peuple," avec le singulier entre parenthèses.

1. *Ceremonial Stool.* Wood. L. 43⅜ in. Senegal.
   Siège de cérémonie. Bois. L. 110, 2 cm. Sénégal.
   Commercial Museum, Philadelphia.

2. *Fertility Figure: Woman.* Wood, brass tacks.
   21 in. Bambara, Mali.
   Effigie de fécondité: femme. Bois avec
   cloutage en cuivre. 53,3 cm. Bambara,
   Mali.
   Coll. Mr. & Mrs. Chaim Gross, New York.

3. *Fertility Figure: Woman.* Wood, brass tacks.
   24½ in. Bambara, Mali.
   Effigie de fécondité: femme. Bois avec
   cloutage en cuivre. 62,2 cm. Bambara,
   Mali.
   Museum of Primitive Art, New York.

4. *Boli, Kono Society Fetish: Bull.* Wood, encrustation. L. 20½ in. Bambara, Mali.
Boli, fétiche de la société Kono: taureau. Bois avec incrustations. L. 52 cm. Bambara, Mali.
Museum of Primitive Art, New York.

ABOVE, LEFT AU-DESSUS, À GAUCHE

5. *Tji Wara, Dance Headpiece: Antelope.* Wood. 35½ in. Bambara, Mali.

 Tji Wara, coiffure de danse: antilope. Bois. 90,2 cm. Bambara, Mali.

 Coll. Mr. & Mrs. Frederick Stafford, New York.

ABOVE, RIGHT AU-DESSUS, À DROITE

6. *Tji Wara, Dance Headpiece: Antelope.* Wood, basketry. 56 in. Bambara, Mali.

 Tji Wara, coiffure de danse: antilope. Bois et vannerie. 142,2 cm. Bambara, Mali.

 Coll. Joseph Floch, New York.

LEFT AND FACING À GAUCHE ET EN FACE

7, 7a. *Tji Wara, Dance Headpiece: Antelope.* Wood, metal, patina. 42½ in. Bambara, Mali.

 Tji Wara, coiffure de danse: antilope. Bois, métal, patine. 107,3 cm. Bambara, Mali.

 Coll. Eliot Elisofon, New York.

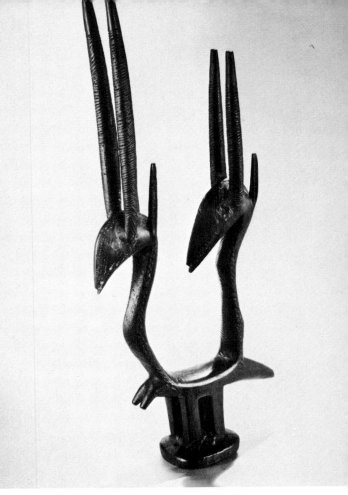

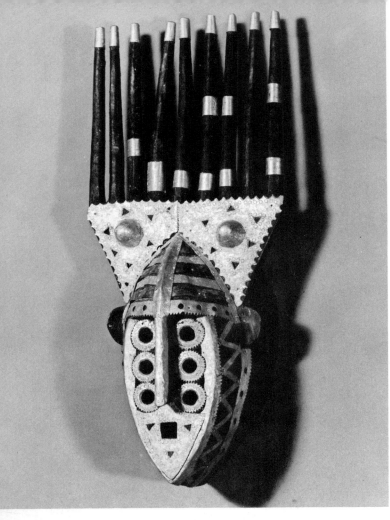

13. *Mask.* Wood, copper and aluminum sheeting. 21½ in. Marka, Mali.
    Masque. Bois, cuivre rouge et aluminium en feuilles. 54,6 cm. Marka, Mali.
    Walker Art Center, Minneapolis.

BELOW, LEFT   AU-DESSOUS, À GAUCHE
14. *Mask.* Wood, brass sheeting. 13¾in. Marka, Mali.
    Masque. Bois et laiton en feuilles. 35 cm. Marka, Mali.
    Coll. Mr. & Mrs. G. Mennen Williams, Washington, D.C.

BELOW, RIGHT   AU-DESSOUS, À DROITE
15. *Effigy Door Lock.* Wood. 29 in. Bambara, Mali.
    Verrou de porte à effigie. Bois. 73,7 cm. Bambara, Mali.
    Coll. Mr. & Mrs. Arthur Cohen, New York.

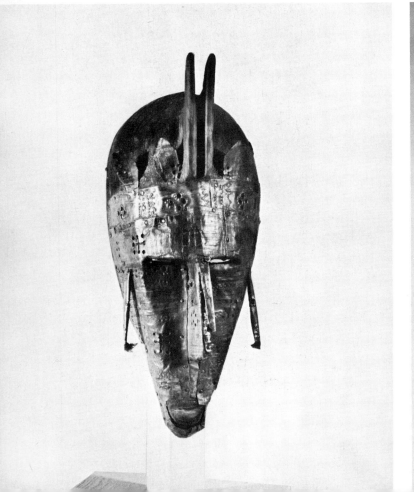

16. *Ancestor Figure: Woman Holding Child.* Wood.
40½ in. Bambara, Mali.
Effigie d'ancêtre: femme tenant un enfant. Bois.
102,2 cm. Bambara, Mali.
Coll. Mr. & Mrs. Samuel Rubin, New York.

17. *Ancestor Figure: Seated Musician.* Wood.
23¾ in. Dogon, Mali.
Effigie d'ancêtre: musicien assis. Bois. 60,3
cm. Dogon, Mali.
Coll. Mr. & Mrs. Paul Rabut, Westport, Connecticut.

19. *Ceremonial Vessel.* Wood. 32 in. Dogon, Mali.
    Récipient rituel. Bois. 81,3 cm. Dogon, Mali.
    Coll. Mr. & Mrs. Paul Rabut, Westport, Connecticut.

18. *Ancestor Group: Seated Man and Woman.* Wood. 15 in.
    Dogon, Mali.
    Groupe d'ancêtres: homme et femme assis. Bois. 38,1 cm.
    Dogon, Mali.
    The Barnes Foundation, Merion, Pennsylvania (Photo copyright 1966 by The Barnes Foundation).

20. *Ancestor Figure: Equestrian.* Wood. 27½ in. Dogon, Mali.
Effigie d'ancêtre: cavalier. Bois. 68,9 cm. Dogon, Mali.
Museum of Primitive Art, New York.

21. *Ancestor Figure: Equestrian.* Wood. 36 in. Dogon, Mali.
Effigie d'ancêtre: cavalier. Bois. 91,5 cm. Dogon, Mali.
Coll. Jay C. Leff, Uniontown, Pennsylvania.

ABOVE, LEFT   AU-DESSUS, À GAUCHE

22. *Dance Mask.* Wood, encrustation. 42¾ in. Dogon, Mali.
Masque de danse. Bois avec incrustations. 108,6 cm. Dogon, Mali.
Cleveland Museum of Art, J. A. & M. G. Memorial Fund.

ABOVE, RIGHT   AU-DESSUS, À DROITE

23. *Seated Woman.* Wood. 22 in. Dogon, Mali.
Femme assise. Bois. 56 cm. Dogon, Mali.
Coll. Mr. & Mrs. Chaim Gross, New York.

24. *Three Figures.* Pigment on stone. Upper figure 5½ in. Lower two wearing Paliye masks. Dogon, Mali. From cliffs near Songo.
Trois figures. Pierre teintée. La figure supérieure 14 cm. Les deux au-dessous portant des masques Paliye. Dogon, Mali. Proviennent de falaises de la région de Songo.
Coll. Dr. & Mrs. Warner Muensterberger, New York.

25. *Granary Door Decorated with Human Figures.* Wood. 23⅜ in. Dogon, Mali.
Porte de grange décorée d'effigies humaines. Bois. 59,3 cm. Dogon, Mali.
Coll. Mr. & Mrs. Gaston de Havenon, New York.

BELOW, LEFT   AU-DESSOUS, À GAUCHE
26. *Granary Door Decorated with Figure of Crocodile.* Wood. 26 in. Dogon, Mali.
     Porte de grange décorée d'une effigie de crocodile. Bois. 66 cm. Dogon, Mali.
     Coll. Mr. & Mrs. Ernst Anspach, New York.

BELOW, RIGHT   AU-DESSOUS, À DROITE
27. *Woman.* Wood, encrustation. 13 in. Dogon, Mali.
     Femme. Bois avec incrustations. 33 cm. Dogon, Mali.
     Coll. Mrs. Webster Plass, Philadelphia.

28. *Woman with Eleven Heads.* Wood, encrustation.
14½ in. Dogon, Mali.
Femme à onze têtes. Bois avec incrustations. 36,8
cm. Dogon, Mali.
Coll. Dr. & Mrs. Warner Muensterberger, New
York.

29. *Staff Head.* Wood, encrustation. 29½ in. Dogon, Mali.
Pommeau de canne. Bois avec incrustations. 75 cm. Dogon, Mali.
Coll. Mr. & Mrs. Gaston de Havenon, New York.

30. *Figure with Hands Before Face.* Wood, encrustation. 10 in. Dogon,
Mali.
Effigie, les mains devant le visage. Bois avec incrustations. 25,4 cm.
Dogon, Mali.
Coll. Mr. & Mrs. Gaston de Havenon, New York.

FACING   EN FACE
31. *Ancestor Figure: Woman.* Wood. 32½ in. Dogon, Mali.
Effigie d'ancêtre: femme. Bois. 82,5 cm. Dogon, Mali.
Coll. Dr. & Mrs. Warner Muensterberger, New York.

33. *Mask.* Wood, pigment. 28½ in. Bobo, Upper Volta.
Masque. Bois et colorant. 72,4 cm. Bobo, Haute Volta.
Coll. Eliot Elisofon, New York.

32. *Dance Mask.* Wood, encrustation. 52½ in. Bobo, Upper Volta.
Masque de danse. Bois avec incrustations. 133,3 cm. Bobo, Haute Volta.
Coll. Mr. & Mrs. Edgar D. Taylor, Los Angeles.

FACING   EN FACE

34. *Dance Headpiece: Antelope.* Wood, pigment. 18 in. Kurumba, Upper
Volta.
Coiffure de danse: antilope. Bois et colorant. 45,7 cm. Kureumba, Haute
Volta.
Baltimore Museum of Art, Wurtzburger Collection.

35. *Mask.* Wood, pigment. Ca. 28 in. Bobo, Upper Volta.
   Masque. Bois et colorant. Environ 71 cm. Bobo, Haute Volta.
   Coll. Jay C. Leff, Uniontown, Pennsylvania.

36. *Dance Headpiece: Antelope.* Wood, pigment. 10 in. Mossi, Upper Volta.
   Coiffure de danse: antilope. Bois et colorant. 25,4 cm. Mossi, Haute Volta.
   Estate of Helena Rubinstein, New York.

FACING, LEFT TO RIGHT   EN FACE, DE GAUCHE À DROITE

37. *Protective Figure: Woman.* Wood. 15¼ in. Lobi, Upper Volta.
   Effigie protectrice: femme. Bois. 38,7 cm. Lobi, Haute Volta.
   Coll. Mr. & Mrs. William R. Bascom, Berkeley, California.

38. *Spirit Mask: Antelope Bearing Earth Goddess.* Wood, pigment. 49 in. Mossi, Upper Volta.
   Masque d'esprit: déesse de la terre chevauchant une antilope. Bois et colorant. 124,5 cm. Mossi, Haute Volta.
   Coll. Samuel Rubin, New York.

39. *Mask of Dō, Guardian Spirit.* Wood, pigment. 57 in. Bobo, Upper Volta.
   Masque de Dō, esprit gardien. Bois et colorant. 144,8 cm. Bobo, Haute Volta.
   Coll. Mr. & Mrs. David Burns, Washington, D.C.

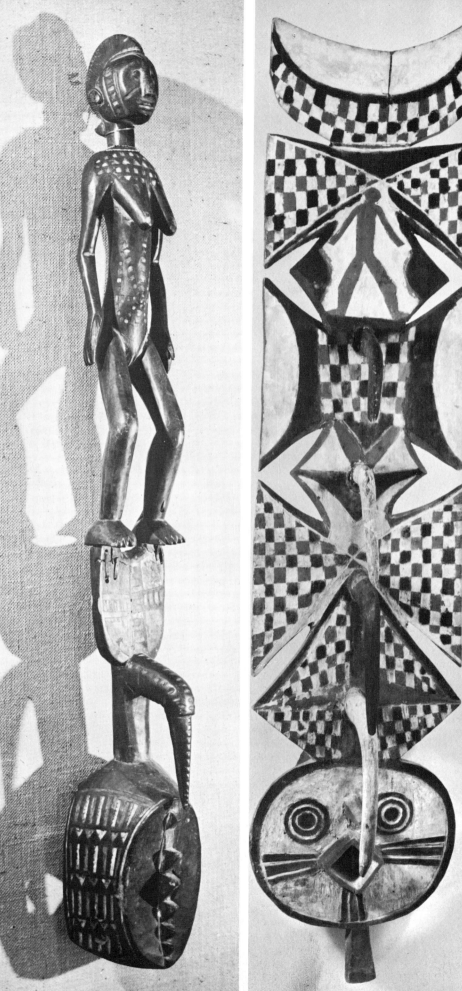

40. *Woman and Girl*. Wood. Larger figure 13¾ in. Bijogo, Bissagos Islands, Portuguese Guinea.
Femme et fillette. Bois. La figure plus grande 35 cm. Bijogo, Îles Bissagos, Guinée portugaise.
Coll. Jay C. Leff, Uniontown, Pennsylvania.

41. *Ritual Object with Two Heads.* Wood. 17½ in. Baga, Guinea.
Objet rituel à deux têtes. Bois. 44,5 cm. Baga, Guinée.
Coll. Jacques Lipchitz, Hastings-on-Hudson, New York.

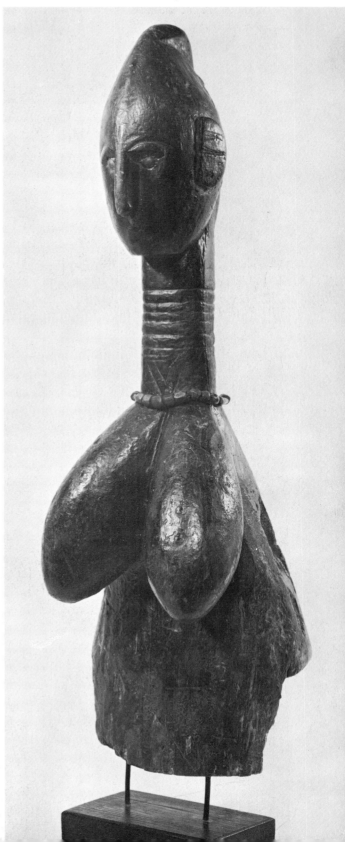

44. *Anok: Head on Socket.* Wood. 12¼ in. Baga, Guinea.
Anok: tête sur socle. Bois. 31,1 cm. Baga, Guinée.
Coll. Mr. & Mrs. Chaim Gross, New York.

45. *Shoulder Mask: Young Girl.* Wood. 20½ in. Baga, Guinea.
Masque d'épaules: jeune fille. Bois. 52 cm. Baga, Guinée.
Cleveland Museum of Art, gift of Edgar A. Hahn.

FACING, ABOVE   AU-DESSUS, EN FACE
42. *Head.* Stone. 10¼ in. Kissi, Guinea.
Tête. Pierre. 26 cm. Kissi, Guinée.
Museum of Primitive Art, New York.

FACING, BELOW   AU-DESSOUS, EN FACE
43. *Anok: Composite Human-Crocodile Head.* Wood. 25 in. Baga,
Guinea.
Anok: tête composite d'homme-crocodile. Bois. 63,5 cm. Baga,
Guinée.
Commercial Museum, Philadelphia.

46. *Nimba, Shoulder Mask.* Wood. 48 in. Baga, Guinea.
     Nimba, masque d'épaules. Bois. 122 cm. Baga, Guinée.
     Coll. Mr. & Mrs. Gustave Schindler, New York.

47. *Guardian Figure.* Wood. 23¼ in. Baga, Guinea.
     Effigie gardienne. Bois. 59 cm. Baga, Guinée.
     Coll. Mr. & Mrs. Paul Rabut, Westport, Connecticut.

49. *Banda, Water Spirit Mask.* Wood, paint. 53 in. Baga, Guinea.
    Banda, masque de l'esprit de l'eau. Bois peint. 134,6 cm. Baga,
    Guinée.
    Coll. Mr. & Mrs. Samuel Rubin, New York.

48. *Ritual Object: Snake.* Wood, pigment. 54½ in. Landouman,
    Guinea.
    Objet rituel: serpent. Bois et colorant. 138,4 cm. Landouman,
    Guinée.
    Museum of Primitive Art, New York.

50. *Helmet Mask.* Wood. 30 in. Landouman, Guinea.
Masque-casque. Bois. 76,2 cm. Landouman, Guinée.
Coll. Mrs. Katherine W. Merkel, Gates Mills, Ohio.

51. *Man Holding a Head*. Stone. 8¼ in. Kissi, Sierra Leone.
Homme tenant une tête. Pierre. 21 cm. Kissi, Sierra Leone.
Coll. Mr. & Mrs. Gaston de Havenon, New York.

52. *Kneeling Man.* Stone. 6 in. Mende, Sierra Leone.
Homme agenouillé. Pierre. 15,2 cm. Mende, Sierra Leone.
Museum of Primitive Art, New York.

53. *Vase.* Earthenware. 6½ in. Sierra Leone. Ca. 16th C.
Vase. Poterie. 16,5 cm. Sierra Leone. Vers le XVIème siècle.
Coll. Gary Schulze, New York.

73

54. *Woman Holding Object.* Wood. 27½ in. Mende, Sierra Leone.
Femme tenant un objet. Bois. 69,8 cm. Mende, Sierra Leone.
Coll. Paul Tishman, New York.

55. *Bundu Society Mask.* Wood. 13½ in. Mende, Sierra Leone.
Masque de la société Bundu. Bois. 34,3 cm. Mende, Sierra Leone.
Yale University Art Gallery, New Haven, Connecticut.

56. *Bundu Society Mask.* Wood. 13 in. Mende, Sierra Leone.
Masque de la société Bundu. Bois. 33 cm. Mende, Sierra Leone.
Coll. Gary Schulze, New York.

58. *Saltcellar Decorated with Women, Warriors, Dogs, and Snakes.*
    Ivory. 11¾ in. Sherbro, Sierra Leone. Ca. 17th C.
    Salière ornée de femmes, guerriers, chiens et serpents. Ivoire.
    29,8 cm. Sherbro, Sierra Leone. Vers le XVIIème siècle.
    Coll. Jay C. Leff, Uniontown, Pennsylvania.

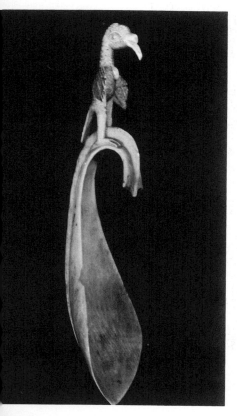

57. *Spoon Decorated with Ibis.* Ivory. L. 6⅜ in. Sherbro, Sierra
    Leone. Ca. 17th C.
    Cuiller décorée d'ibis. Ivoire. L.16,2 cm. Sherbro, Sierra Leone.
    Vers le XVIIème siècle.
    Property Mrs. Robert Woods Bliss, Washington, D.C.

59. *Mask.* Wood, metal, hair. 24 in. Cape Palmas, Liberia.
    Masque. Bois, métal, cheveux. 61 cm. Cap Palmas, Libéria.
    Smithsonian Institution, Washington, D.C., gift of Commodore
        Matthew C. Perry.

60. *Effigy Cottonseed Block.* Wood. L. 26⅜ in. Dan, Liberia.
    Égrenoir à coton, avec effigie. Bois. L. 67 cm. Dan, Libéria.
    Coll. Mrs. Edith Gregor Halpert, New York.

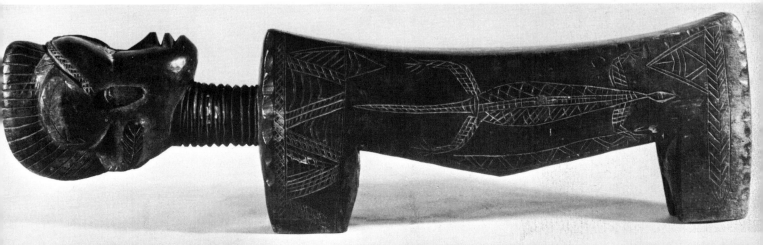

61. *Poro Society Mask.* Wood. 9½ in. Dan,
Liberia.
Masque de la société Poro. Bois. 24,1 cm.
Dan, Libéria.
Coll. Mr. & Mrs. Allen Alperton, Amityville,
New York.

62. *Poro Society Mask.* Wood, bells, beads. 6 in.
Dan, Liberia.
*Masque de la société Poro. Bois, clochettes,
perles.* 15,2 cm. Dan, Libéria.
Coll. Mrs. Webster Plass, Philadelphia.

63. *Poro Society Mask.* Wood, pigment, bells, beads, cloth. 11½ in. Dan, Liberia.
Masque de la société Poro. Bois, colorant, clochettes, perles, tissu. 29,2 cm. Dan, Libéria.
Allen Memorial Art Museum, Oberlin College, Oberlin, Ohio.

64. *Standing Woman.* Wood, cowrie shells, brass nails.
Ca. 16 in. Gio, Liberia.
Femme debout. Bois, cauris, clous de cuivre. Environ
40,5 cm. Gio, Libéria.
Peabody Museum, Harvard University, Cambridge,
Massachusetts.

67. *Po, Emblematic Spoon for Women's Society.* Wood, metal, hair. L. 19¾ in. Gio, Liberia.
   Po, cuiller emblématique pour une société des femmes. Bois, métal, cheveux. L. 50,2 cm.
     Gio, Libéria.
   Coll. Mr. & Mrs. Allen C. Davis, Washington, D.C.

68. *Standing Woman.* Wood, pigment, hair, cloth. Ca. 16 in. Bassa, Liberia.
   Femme debout. Bois, colorant, cheveux, tissu. Environ 40,5 cm. Bassa, Libéria.
   Peabody Museum, Harvard University, Cambridge, Massachusetts.

FACING, ABOVE   AU-DESSUS, EN FACE
65. *Mask.* Wood. 10½ in. Kran, Liberia.
   Masque. Bois. 26,7 cm. Kran, Libéria.
   Coll. Mr. & Mrs. Allen Alperton, Amityville, New York.

FACING, BELOW   AU-DESSOUS, EN FACE
66. *Mask.* Wood, fiber, feathers, metal. 12¼ in. Kran, Liberia.
   Masque. Bois, fibre, plumes, métal. 31 cm. Kran, Libéria.
   Smithsonian Institution, Washington, D.C.

70. *Mask.* Wood. 18 in. Toma, Liberia.
Masque. Bois. 45,7 cm. Toma, Libéria.
Lowie Museum of Anthropology, University of California, Berkeley.

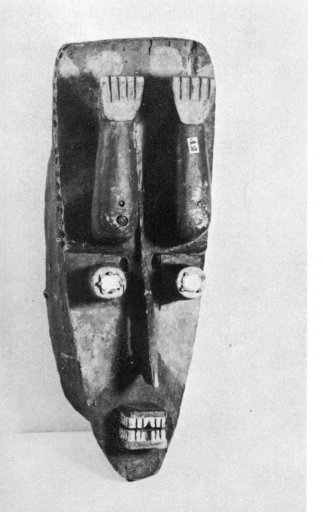

69. *Mask.* Wood, pigment. 18⅛ in. Grebo, Liberia.
Masque. Bois et colorant. 46 cm. Grebo, Libéria.
Peabody Museum, Salem, Massachusetts.

71. *Mask*. Wood. 37½ in. Toma, Liberia.
Masque. Bois. 95,2 cm. Toma, Libéria.
Coll. Paul Tishman, New York.

72, 72a. *Standing Woman.* Bronze. 12 in. Dan, Ivory Coast.
Femme debout. Bronze. 30,5 cm. Dan, Côte d'Ivoire.
Smithsonian Institution, Washington, D.C.

73. *Standing Woman.* Wood, beads. 23 in.
    Guro, Ivory Coast.
    Femme debout. Bois et perles. 58,4 cm.
    Gouro, Côte d'Ivoire.
    Coll. Mr. & Mrs. Paul Rabut, Westport,
    Connecticut.

74.–77. *Four Effigy Heddle Pulleys.* Wood. 74. 8¼ in.
    75. 9½ in. 76. 9½ in. 77. 8⅝ in. Guro,
    Ivory Coast.
    Quatre bobines de tisserand, ornées d'effigies.
    Bois. 74. 21 cm. 75. 24,1 cm. 76. 24,1 cm.
    77. 21,9 cm. Gouro, Côte d'Ivoire.
    Coll. Mr. & Mrs. Harold Rome, New York.

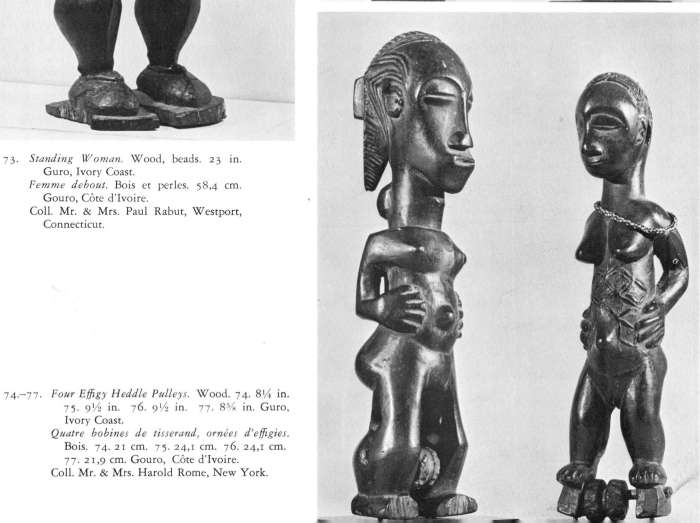

78. *Mask.* Wood, pigment. 17⅜ in. Guro, Ivory Coast.
Masque. Bois et colorant. 44,1 cm. Gouro, Côte d'Ivoire.
Coll. Mrs. Gertrud A. Mellon, New York.

FACING   EN FACE
79. *Mask.* Wood, fur, pigment. 14 in. Guro, Ivory Coast.
Masque. Bois, fourrure, colorant. 35,6 cm. Gouro, Côte d'Ivoire.
Art Institute of Chicago.

80. *Standing Woman.* Wood, patina. 9¼ in. Baule, Ivory Coast.
     Femme debout. Bois patiné. 23,5 cm. Baoulé, Côte d'Ivoire.
     Coll. Mr. & Mrs. Henry Schaefer-Simmern, Berkeley, California.

81. *Ointment Box with Effigy Cover.* Wood. 9¾ in. Baule, Ivory Coast.
     Boîte à onguents, le couvercle à effigie. Bois. 24,7 cm. Baoulé, Côte
        d'Ivoire.
     Coll. Henry Hawley, Cleveland, Ohio.

82. *Weight: Seated Executioner with Ax and Head.* Brass. 4¾ in. Baule,
        Ivory Coast.
     Poids: bourreau assis, avec hache et tête. Cuivre jaune. 12 cm. Baoulé,
        Côte d'Ivoire.
     Coll. Mr. & Mrs. William D. Wixom, Bratenahl, Ohio.

83. *Mask.* Wood. 13½ in. Baule, Ivory Coast.
Masque. Bois. 34,3 cm. Baoulé, Côte d'Ivoire.
Coll. Mr. & Mrs. Paul Rabut, Westport, Connecticut.

84. *Standing Woman.* Wood covered with gold leaf. 10½ in. Baule, Ivory Coast.
    Femme debout. Bois recouvert d'or en feuille. 26,7 cm. Baoulé, Côte d'Ivoire.
    Coll. Jay C. Leff, Uniontown, Pennsylvania.

85. *Ornament: Mask of King.* Gold. 3⅛ in. Baule, Ivory Coast.
Ornement: masque d'un roi. Or. 8 cm. Baoulé, Côte d'Ivoire.
Property Mrs. Robert Woods Bliss, Washington, D.C.

86. *Ornament: Crocodile.* Gold. L. 4⁹⁄₁₆ in. Baule, Ivory Coast.
Ornement: crocodile. Or. L. 11,6 cm. Baoulé, Côte d'Ivoire.
Cleveland Museum of Art, John L. Severence Fund.

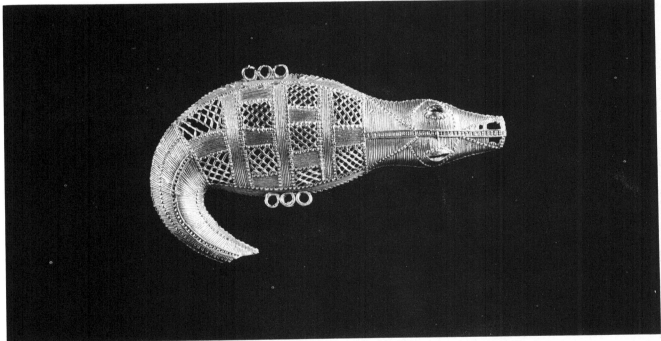

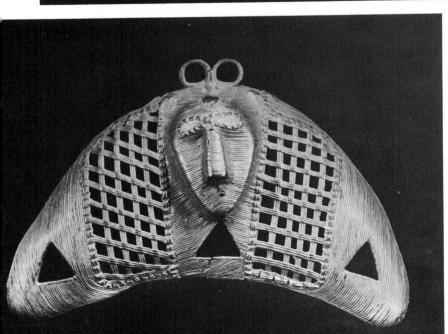

87. *Pendant: Mask.* Gold. 2⅜ in. Baule, Ivory
Coast.
Pendentif: masque. Or. 6 cm. Baoulé,
Côte d'Ivoire.
Seattle Art Museum, Eugene Fuller Mem-
orial Collection.

91

89. *Bracelet: Mask of King.* Ivory. 5¼ in. Baule, Ivory
    Coast. Ca. 18th C.
    Bracelet: masque d'un roi. Ivoire. 13,3 cm. Baoulé,
    Côte d'Ivoire. Vers le XVIIIème siècle.
    Coll. Paul Tishman, New York.

88. *Standing Man.* Wood, encrustation. 12¾ in. Baule,
    Ivory Coast.
    Homme debout. Bois avec incrustations. 32,4 cm.
    Baoulé, Côte d'Ivoire.
    Coll. Mr. & Mrs. Alan Sawyer, Washington, D.C.

FACING, LEFT   EN FACE, À GAUCHE

90. *Standing Man.* Wood, paint traces, beads. 21¾ in. Baule, Ivory Coast.
    Homme debout. Bois, traces de peinture, perles. 55,2 cm. Baoulé, Côte d'Ivoire.
    Museum of Primitive Art, New York.

FACING, RIGHT   EN FACE, À DROITE

92

91. *Standing Woman.* Wood, paint traces, beads. 20⅝ in. Baule, Ivory Coast.
    Femme debout. Bois, traces de peinture, perles. 52,4 cm. Baoulé, Côte d'Ivoire.
    Museum of Primitive Art, New York.

92. *Ceremonial Vessel.* Earthenware. 14 in. Baule, Ivory Coast.
Récipient rituel. Poterie. 35,5 cm. Baoulé, Côte d'Ivoire.
Coll. Mr. & Mrs. Herbert Baker, Chicago.

BELOW, LEFT AU-DESSOUS, À GAUCHE

93. *Guli, Buffalo Spirit Mask.* Wood, pigment. 43¼ in. Baule, Ivory Coast.
Guli, masque d'esprit de buffle. Bois et colorant. 110 cm. Baoulé, Côte d'Ivoire.
Minneapolis Institute of Arts, William H. Dunwoody Fund.

94. *Gbekre, Deity of Judgment: Man with Head of Ape.* Wood, encrustation, cloth. 29 in. Baule, Ivory Coast.
Gbekre, divinité du jugement: homme à tête de singe. Bois avec incrustations, tissu. 73,6 cm. Baoulé, Côte d'Ivoire.
Lowie Museum of Anthropology, University of California, Berkeley.

94

95. *Waniougo, "Firespitter" Head Mask:*
    Composite Animal Head. Wood,
    pigment. L. 28¼ in. Senufo, Ivory
    Coast.
    Waniougo, masque de "cracheur de
    feu": tête d'animal composite. Bois
    et colorant. L. 71,8 cm. Sénoufo,
    Côte d'Ivoire.
    Coll. Eliot Elisofon, New York.

96. *Mask: Elephant Head.* Wood, paint.
    11⅛ in. Baule, Ivory Coast.
    Masque: tête d'éléphant. Bois peint.
    28,2 cm. Baoulé, Côte d'Ivoire.
    Museum of Primitive Art, New York.

97. *Face Mask.* Wood, tin sheeting, brass nails. 15 in. Senufo, Ivory Coast.
    Masque. Bois, fer-blanc, clous de cuivre. 38,1 cm. Sénoufo, Côte d'Ivoire.
    Coll. Mr. & Mrs. Howard Barnet, New York.

98. *Kpélié, Ancestor Face Mask.* Wood. 15 in. Senufo, Ivory Coast.
    Kpélié, masque d'ancêtre. Bois. 38,1 cm. Sénoufo, Côte d'Ivoire.
    Coll. Mr. & Mrs. Arnold Newman, New York.

FACING   EN FACE
99. *Kponiougo, "Firespitter" Helmet Mask: Composite Animal Head.* Wood, encrustation.
    L. 30 in. Senufo, Ivory Coast.
    Kponiougo, masque-casque de "cracheur de feu": tête d'animal composite. Bois avec
    incrustations. L. 76,2 cm. Sénoufo, Côte d'Ivoire.
    Walker Art Center, Minneapolis.

100. *Standing Woman.* Wood. 7½ in. Senufo, Ivory Coast.
Femme debout. Bois. 19,1 cm. Sénoufo, Côte d'Ivoire.
Coll. Mr. & Mrs. Alan Sawyer, Washington, D.C.

101. *Standing Man Holding Knife.* Wood. 7 in. Senufo, Ivory Coast.
Homme debout tenant un couteau. Bois. 17,8 cm. Sénoufo, Côte d'Ivoire.
Coll. Mr. & Mrs. Irwin Hersey, New York.

102. *Seated Woman.* Wood, beads. 6⅝ in. Senufo, Ivory Coast.
Femme assise. Bois et perles. 16,8 cm. Sénoufo, Côte d'Ivoire.
Coll. Mr. & Mrs. Irwin Hersey, New York.

103. *Déblé, Rhythm Pounder: Standing Man.* Wood.
42½ in. Senufo, Ivory Coast.
Déblé, bâton de rythmes: homme debout. Bois. 108
cm. Sénoufo, Côte d'Ivoire.
Museum of Primitive Art, New York.

104. *Secret Society Shrine Door Decorated with Sun Disk and Symbolic Animals.* Wood.
    45 in. Senufo, Ivory Coast.
    Porte de sanctuaire d'une société secrète, décorée d'un disque solaire et d'animaux symboliques. Bois. 114,3 cm. Sénoufo, Côte d'Ivoire.
    Coll. Eliot Elisofon, New York.

105. *Porpianong, Symbol of Life Force: Standing Hornbill.* Wood.
     47½ in. Senufo, Ivory Coast.
     Porpianong, symbole de la force vitale: calao debout. Bois.
     120,6 cm. Sénoufo, Côte d'Ivoire.
     Museum of Primitive Art, New York.

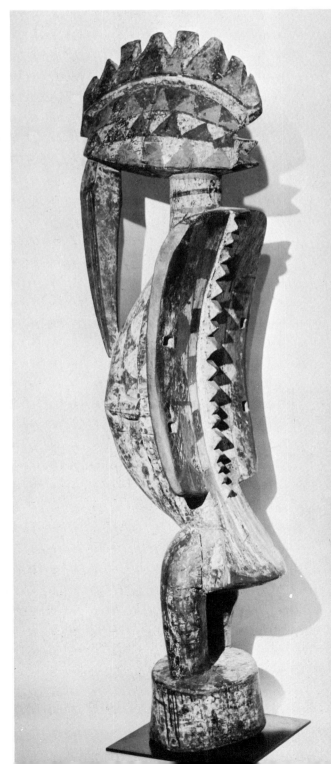

106. *Porpianong, Symbol of Life Force: Standing Hornbill.* Wood,
     pigment. 57 in. Senufo, Ivory Coast.
     Porpianong, symbole de la force vitale: calao debout. Bois et
     colorant. 144,8 cm. Sénoufo, Côte d'Ivoire.
     Coll. Mr. & Mrs. Arthur Cohen, New York.

112.   *Standing Woman.* Wood. 14⅜ in. Alangua, Ivory Coast.
Femme debout. Bois. 36,5 cm. Alangua, Côte d'Ivoire.
Museum of Primitive Art, New York.

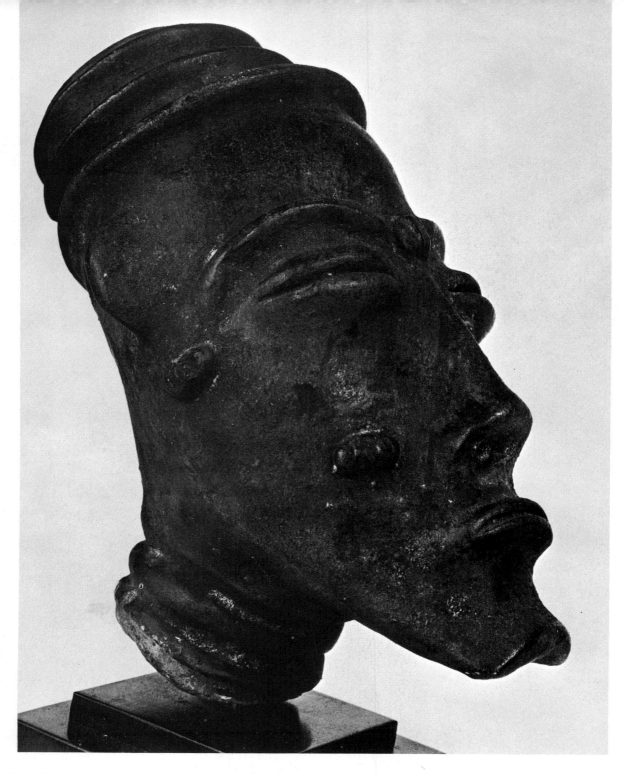

113. *Head*. Terra cotta. 8 in. Agni, Ivory Coast. From Krinjabo area. Ca. 17th C.
Tête. Terre cuite. 20,3 cm. Agni, Côte d'Ivoire. Provient de la région Krinjabo. Vers le XVIIème siècle.
Coll. Mr. & Mrs. Harold Rome, New York.

114. *Head.* Terra cotta, painted decoration. 7½ in. Agni, Ivory Coast. From Krinjabo area. Ca. 17th C.

Tête. Terre cuite, décorations peintes. 19 cm. Agni, Côte d'Ivoire. Provient de la région Krinjabo. Vers le XVIIème siècle.

Coll. Mr. & Mrs. Gaston de Havenon, New York.

115. *Ceremonial Stool.* Wood, silver sheeting. 15 in. Ashanti, Ghana.
Siège de cérémonie. Bois, argent en feuilles. 38 cm. Ashanti, Ghana.
William Rockhill Nelson Gallery of Art, Kansas City, Missouri, Nelson Fund.

116. *Akerakomu, Soul-Washer Pendant
Badge.* Gold. D. 6¾ in. Ashanti,
Ghana. Early 19th C.
*Akerakomu, pendentif-emblème de
laveur d'âmes.* Or. D. 17 cm.
Ashanti, Ghana. Début du
XIXème siècle.
Coll. Jay C. Leff, Uniontown,
Pennsylvania.

117. *Mask.* Bronze. 7½ in. Bron, Ghana. 17th C.
Masque. Bronze. 19 cm. Bron, Ghana. XVIIème siècle.
Museum of Primitive Art, New York.

118. *Kuduo, Urn for Souls.* Bronze. 8¾ in. Ashanti, Ghana.
Kuduo, urne pour les âmes. Bronze. 22,2 cm. Ashanti, Ghana.
Coll. William Moore, Los Angeles.

120. *Bowl.* Earthenware. 8 in. Ashanti, Ghana.
Coupe. Poterie. 20,3 cm. Ashanti, Ghana.
Coll. Paul Tishman, New York.

FACING   EN FACE
119. *Seated Girl.* Wood, gilt. 16½ in. Ashanti, Ghana.
Jeune fille assise. Bois doré. 42 cm. Ashanti, Ghana.
Coll. Mr. & Mrs. Paul Rabut, Westport, Connecticut.

121–127. *Seven Fertility Dolls.* Wood, beads. Second figure from left 14¼ in. Ashanti, Ghana.
    Sept poupées de fécondité. Bois et perles. La deuxième figure à partir de la gauche 36,2 cm. Ashanti, Ghana.
    Coll. Mr. & Mrs. Arnold Newman, New York.

114

134. *Box for Gold Dust.* Brass. D. 2 in. Ashanti, Ghana.
Boîte à poudre d'or. Cuivre jaune. D. 5 cm. Ashanti, Ghana.
Coll. Mrs. Webster Plass, Philadelphia.

135. *Weight: Antelope with Tick Birds.* Brass. L. 1½ in. Ashanti, Ghana.
Poids: antilope avec oiseaux pique-bœufs. Cuivre jaune. L. 3,8 cm. Ashanti,
Ghana.
Coll. Mrs. Webster Plass, Philadelphia.

136. *Weight: Monkey Picking Fruit.* Brass. L. 1⅞ in. Ashanti, Ghana.
   Poids: singe grignotant un fruit. Cuivre jaune. L. 4,8 cm. Ashanti, Ghana.
   Coll. Mrs. Webster Plass, Philadelphia.

137. *Weight: Scorpion.* Brass. L. 1¾ in. Ashanti, Ghana.
   Poids: scorpion. Cuivre jaune. L. 4,5 cm. Ashanti, Ghana.
   Coll. Mrs. Webster Plass, Philadelphia.

138. *Dove.* Bronze. 4⅞ in. Ashanti, Ghana.
Colombe. Bronze. 12,4 cm. Ashanti, Ghana.
Museum of Primitive Art, New York.

139. *Bird.* Wood. L. 12 in. Ashanti, Ghana.
Oiseau. Bois. L. 30,5 cm. Ashanti, Ghana.
Coll. Mr. & Mrs. Chaim Gross, New York.

FACING   EN FACE
140–142. *Three Combs with Effigy Handles.* Wood. 140. 11¼ in. Ashanti, Ghana. 141.
6⅝ in. Bayaka, Congo (Léopoldville). 142. 8 in. Ashanti, Ghana.
Trois peignes, les manches à effigie. Bois. 140. 28,5 cm. Ashanti, Ghana. 141.
16,8 cm. Bayaka, Congo-Léopoldville. 142. 20,3 cm. Ashanti, Ghana.
Coll. Mr. & Mrs. Arthur Cohen, New York.

143. *Buffalo Head*. Terra cotta. 9 in. Togo.
Téte de buffle. Terre cuite. 20,9 cm. Togo.
Museum of Primitive Art, New York.

144, 145. *Pair of Equestrians*. Bronze. 144. 10⅜ in. 145. 10⅛ in. Dahomey. Ca. 1800.
Deux cavaliers. Bronze. 144. 26,3 cm. 145. 25,7 cm. Dahomey. Vers 1800.
Coll. Mr. & Mrs. Ralph T. Coe, Kansas City, Missouri.

146. *Buffalo.* Wood covered with silver leaves, iron horns and tail, brass eyes. L. 17¼ in.
Abomey City, Dahomey. Before 1872.
Buffle. Bois recouvert de feuilles d'argent, cornes et queue en fer, yeux en cuivre jaune.
L. 43,8 cm. Ville d'Abomey, Dahomey. Antérieur à 1872.
Coll. Mr. & Mrs. René d'Harnoncourt, New York.

147. *Elephant.* Silver. L. 23⅝ in. Abomey City, Dahomey. Before 1872.
Éléphant. Argent. L. 59,3 cm. Ville d'Abomey, Dahomey. Antérieur à 1872.
Coll. Mr. & Mrs. René d'Harnoncourt, New York.

148. *Guinea Hen.* Iron. 9 in. Fon, Dahomey.
Pintade. Fer. 22,8 cm. Fon, Dahomey.
Coll. Mr. & Mrs. Harold Rome, New York.

FACING   EN FACE
149. *Priestess of the Convent of Yéwé.* Wood. 10 in. Abomey City, Dahomey. Ca. 16th C.
Prêtresse du couvent de Yéwé. Bois. 25,5 cm. Ville d'Abomey, Dahomey. Vers le
XVIème siècle.
Albright-Knox Art Gallery, Buffalo.

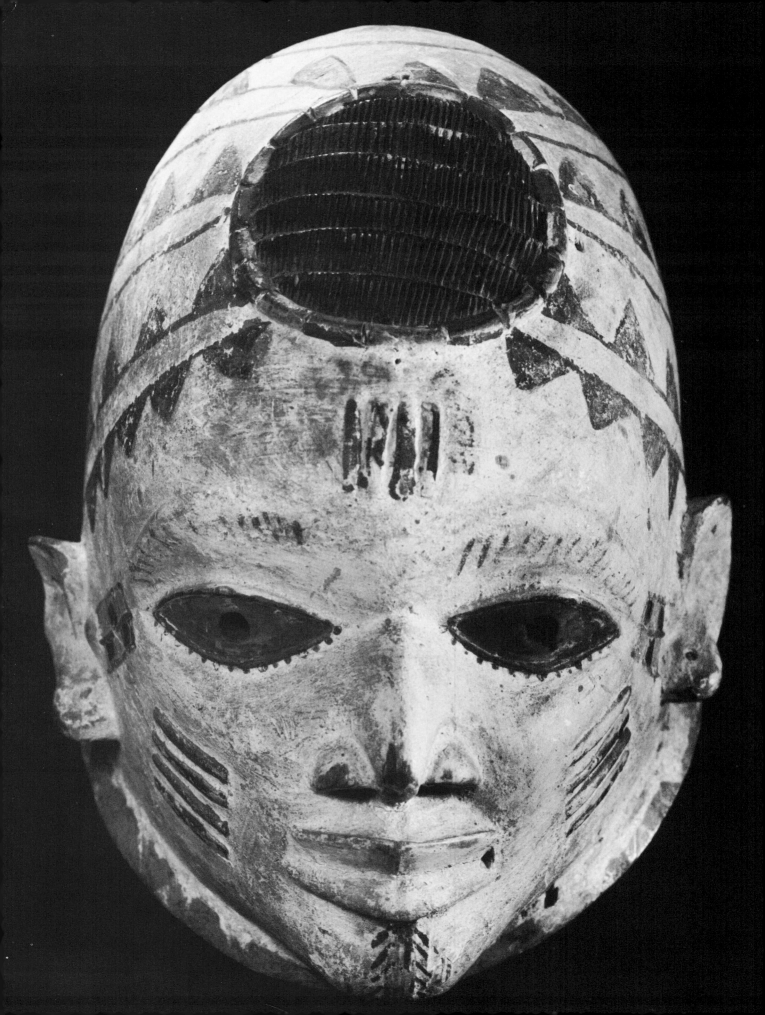

150. *Gelede Society Mask*. Polychrome wood. L. 12 in.
Yoruba, Dahomey.
Masque de la Société Gélédé. Bois polychrome. L.
30,5 cm. Yorouba, Dahomey.
Commercial Museum, Philadelphia.

151. *Ritual Staff Head: Head of Ram*. Wood. 15 in.
Yoruba, Nigeria.
Pommeau de canne rituelle: tête de bélier. Bois.
38,1 cm. Yorouba, Nigéria.
University Museum, University of Pennsylvania,
Philadelphia.

152. *Ogboni Society Shrine Furniture Detail: Prostrate Wife of an Elder.* Wood, polychrome. 23 in. Yoruba, Nigeria. Carved at Abeokuta, ca. 1900–1920.

Détail de meuble sacré de la société Ogboni: femme d'ancien prosternée. Bois polychrome. 58,4 cm. Yorouba, Nigéria. Sculpté à Abeokuta, entre 1900 et 1920.

Coll. Robert Farris Thompson, New Haven, Connecticut.

153,154. *Twin Figures for Cult of Ibeji, Guardian Deity of Twins.* Wood, beads. 153. 12 in. 154. 11 in. Yoruba, Nigeria. From Oyo.

Figurines jumelles du culte d'Ibeji, divinité tutélaire des jumeaux. Bois et perles. 153. 30,5 cm. 154. 28 cm. Yorouba, Nigéria. Proviennent d'Oyo.

Lowie Museum of Anthropology, University of California, Berkeley.

155–157. *Three Ibeji Twin Figures.* Wood, beads, cowrie shells. 155. 9¾ in. 156. 8¾ in. 157. 8¾ in. Yoruba, Nigeria.

Trois figurines jumelles d'Ibeji. Bois, perles, cauris. 155. 24,7 cm. 156. 22,2 cm. 157. 22,2 cm. Yorouba, Nigéria.

Newark Museum.

BELOW, RIGHT   AU-DESSOUS, À DROITE

158. *Ceremonial Stool.* Wood, paint. 29 in. Yoruba, Dahomey.

Siège de cérémonie. Bois peint. 73,7 cm. Yorouba, Dahomey.

Chrysler Art Museum, Provincetown, Massachusetts.

159. *Divination Vessel for Cult of Ifa, Deity of the Oracle.* Wood, pigment. 25 in. Yoruba,
    Nigeria. Carved by Olowe of Ise, early 20th C.
    Récipient de divination du culte d'Ifa, divinité des oracles. Bois et colorant. 63,5 cm.
        Yorouba, Nigéria. Sculpture d'Olowe d'Ise, au début du XXème siècle.
    Coll. William Moore, Los Angeles.

160. *Offering Vessel with Effigy Cover.* Earthenware. 19 in. Yoruba, Nigeria.
      Récipient pour les offrandes, le couvercle à effigie. Poterie. 48,3 cm. Yorouba, Nigéria.
      Smithsonian Institution, Washington, D.C.

161. *Dance Pole:* Wood, polychrome. 86 in. Yoruba, Nigeria.
Bâton de danse. Bois polychrome. 218,4 cm. Yorouba, Nigéria.
Coll. Fred Welty, Washington, D.C.

162. *Divination Vessel for Cult of Ifa.* Wood. 14½ in. Yoruba, Nigeria.
Récipient de divination du culte d'Ifa. Bois. 36,8 cm. Yorouba, Nigéria.
Coll. Mr. & Mrs. William R. Bascom, Berkeley, California.

163. *Epa Festival Head Mask: Warrior on Horseback.* Wood, polychrome. 47 in. Yoruba, Nigeria.
Masque de la fête d'Epa: guerrier à cheval. Bois polychrome. 119,3 cm. Yorouba, Nigéria.
University Museum, University of Pennsylvania, Philadelphia.

165. *Gelede Society Dance Mask.* Wood, paint. 8¼ in. Yoruba, Nigeria.
Masque de danse de la société Gélédé. Bois peint. 21 cm. Yorouba, Nigéria.
Coll. Victor Du Bois, New York.

FACING   EN FACE
164. *Epa Festival Head Mask: Mounted Warrior with Retainers.* Wood, polychrome. 54 in.
    Yoruba, Nigeria. Carved by Bamgboye of Odo-Owa, ca. 1925.
    Masque de la fête d'Epa: guerrier à cheval avec sa suite. Bois polychrome. 137 cm.
    Yoruba, Nigéria. Sculpture de Bamgboye d'Odo-Owa, vers 1925.
Coll. Mr. & Mrs. Vincent Price, Los Angeles.

166. *Medicine Staff Head: Ring of Ibises.* Iron. Center figure 4 in.
     Yoruba, Nigeria.
     Pommeau de canne de guerisseur: anneau d'ibis. Fer. La figure
     centrale 10,2 cm. Yorouba, Nigéria.
     Coll. Bernard Coleman, Washington, D.C.

167. *Group: Two Elephants, Two Men with Axhammers.* Bronze. 7½ in.
     Yoruba, Nigeria.
     Groupe: deux éléphants, deux hommes aux haches-marteaux. Bronze.
     19 cm. Yorouba, Nigéria.
     University Museum, University of Pennsylvania, Philadelphia.

136

168, 168a. *Carved Tusk Depicting Musicians, Warriors, Prisoners, and
European Soldiers.* Ivory. 13 in. Yoruba, Nigeria.
*Défense d'éléphant sculptée représentant musiciens, guerriers,
prisonniers, et soldats européens. Ivoire. 33 cm. Yorouba,
Nigéria.*
Coll. Mr. & Mrs. Victor Potamkin, Merion, Pennsylvania.

169, 169a. *Woman Worshipper of Orisha-Oko, Deity of*
   Agriculture. Wood, polychrome. 20½ in. Yo-
   ruba, Nigeria.
   Adoratrice d'Orisha-Oko, divinité de l'agriculture.
   Bois polychrome. 52 cm. Yorouba, Nigéria.
   Coll. Mr. & Mrs. E. Clark Stillman, New York.

170. *Fragment of Head.* Terra cotta. 7 in. Ancient Ife, Nigeria.
Fragment d'une tête. Terre cuite. 17,8 cm. Ifé ancien, Nigéria.
Coll. Mrs. Jacob M. Kaplan, New York.

171. *Fragment of Head, Probably That of the Oni, Divine King of Ife.* Terra cotta. 5⅛ in.
Ancient Ife, Nigeria. Ca. 13th C.
Fragment d'une tête, représentant probablement l'Oni, roi divin d'Ifé. Terre cuite.
13 cm. Ifé ancien, Nigéria. Vers le XIIIème siècle.
Coll. Alistair Bradley Martin, New York.

173. *Pendant: Mask of the Oba
(King) of Benin with Tiara
of Mudfish, Beard of Euro-
peans' Heads.* Bronze. 7½
in. Benin Kingdom, Ni-
geria. Ca. 16th C.
*Pendentif: masque de l'Oba
(roi) du Bénin avec tiare
d'un poisson-chat, barbe des
têtes d'européens.* Bronze.
19 cm. Royaume du Bénin,
Nigéria. Vers le XVIème
siècle.
Coll. Mrs. Webster Plass, Philadelphia.

FACING   EN FACE
172. *Royal Altarpiece: Commemorative Head of King.* Bronze.
8⅛ in. Benin Kingdom, Ni-
geria, Ca. 15th C.
*Tableau d'autel royal: tête com-
memorative d'un roi.* Bronze.
20,6 cm. Royaume du Bé-
nin, Nigéria. Vers le XVème
siècle.
City Art Museum, St. Louis.

174. *Royal Altar Figure: The Oba's Hornblower.* Bronze. 24⅝ in. Benin Kingdom, Nigeria. 16th–18th C.

Effigie d'autel royal: la trompette de l'Oba. Bronze. 62,5 cm. Royaume du Bénin, Nigéria. XVIème–XVIIIème siècles.

Coll. R. Sturgis Ingersoll, Philadelphia.

175. *Altar Group: Queen Mother and Attendants.* Bronze. 13½ in. Benin Kingdom, Nigeria.
Groupe d'autel: reine-mère et sa suite. Bronze. 34,3 cm. Royaume du Bénin, Nigéria.
Coll. R. Sturgis Ingersoll, Philadelphia.

176. *Leopard, Symbol of Royal Authority.* Bronze. 17 in. Benin Kingdom, Nigeria. Ca.
   17th C.
   Léopard, symbole de l'autorité royale. Bronze. 43,2 cm. Royaume du Bénin, Nigéria.
   Vers le XVIIème siècle.
   Minneapolis Institute of Arts.

177. *Cock, Probably from Altar of Queen Mother.* Bronze. 20½ in. Benin Kingdom, Nigeria.
16th–18th C.
Coq, probablement de l'autel de la reine-mère. Bronze. 52,1 cm. Royaume du Bénin,
Nigéria. XVIème–XVIIIème siècles.
National Gallery of Art, Washington, D.C., gift of Winston Guest.

178. *Commemorative Plaque: A European.* Bronze. 15⅝ in. Benin Kingdom, Nigeria. 16th–17th C.
Plaque commémorative: un européen. Bronze. 39,7 cm. Royaume du Bénin, Nigéria. XVIème–XVIIème siècles.
Chicago Natural History Museum.

179. *Commemorative Plaque: Chief with Attendant.* Bronze. 17⅜ in. Benin Kingdom, Nigeria. Ca. 17th C.
Plaque commémorative: chef avec un serviteur. Bronze. 44,1 cm. Royaume du Bénin, Nigéria. Vers le XVIIème siècle.
Seattle Art Museum, Margaret E. Fuller Purchase Fund.

180. *Royal Altarpiece: Commemorative Head of an Oba's Ancestor.* Bronze. 12½ in. Benin
     Kingdom, Nigeria. Ca. 1700.
     Tableau d'autel royal: tête commémorative d'un ancêtre de l'Oba. Bronze. 31,8 cm.
     Royaume du Bénin, Nigéria. Vers 1700.
     Chicago Natural History Museum.

183. *Royal Pendant: Mask of Oba with Tiara of Mudfish
     and Europeans' Heads, Beard of Europeans' Heads.*
     Ivory, iron, copper. 9⅜ in. Benin Kingdom, Ni-
     geria. Early 16th C.
     *Pendentif royal: masque de l'Oba avec tiare d'un
     poisson-chat et des têtes d'européens, barbe des têtes
     d'européens.* Ivoire, fer, cuivre rouge. 23,8 cm.
     Royaume du Bénin, Nigéria. Début du XVIème
     siècle.
     Museum of Primitive Art, New York.

181. *Female Attendant Holding Manilla.* Ivory. 15 in.
     Benin Kingdom, Nigeria.
     Servante tenant une manille. Ivoire. 38 cm. Royaume
     du Bénin, Nigéria.
     Peabody Museum, Harvard University, Cambridge,
     Massachusetts.

182. *Woman Nursing Baby.* Ivory. 5¾ in. Benin King-
     dom, Nigeria.
     Femme allaitant son bébé. Ivoire. 14,6 cm. Royaume
     du Bénin, Nigéria.
     Coll. William Moore, Los Angeles.

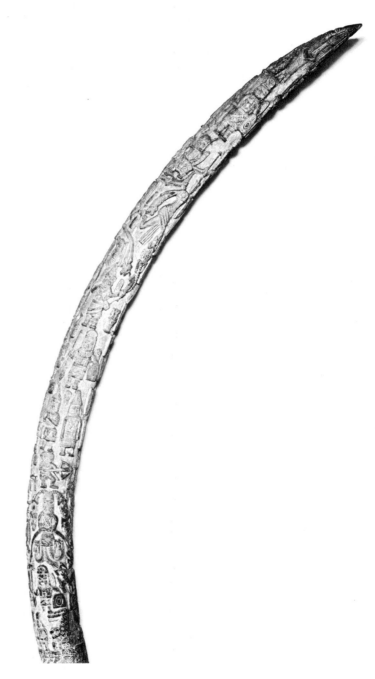

184. *Carved Tusk, Crest for Commemorative Bronze Head.* Ivory. 91½ in. Benin King-
      dom, Nigeria.
      Défense d'éléphant sculptée, cimier pour une tête commémorative en bronze. Ivoire.
      232,4 cm. Royaume du Bénin, Nigéria.
      University Museum, University of Pennsylvania, Philadelphia.

184a. Detail: Oba as Olokun, deity of sea, with mudfish legs.
      Détail: Oba représenté comme Olokun, divinité de la mer, aux pattes de poisson-chat.

185. *Royal Ornament: Mask of Leopard, Symbol of Unrestricted Royal Power.* Ivory. 7 in. Benin Kingdom, Nigeria. 16th C.

Ornement royal: masque de léopard, symbole d'un pouvoir royal sans limites. Ivoire. 17,8 cm. Royaume du Bénin, Nigéria. XVIème siècle.

Coll. Mrs. Katherine W. Merkel, Gates Mills, Ohio.

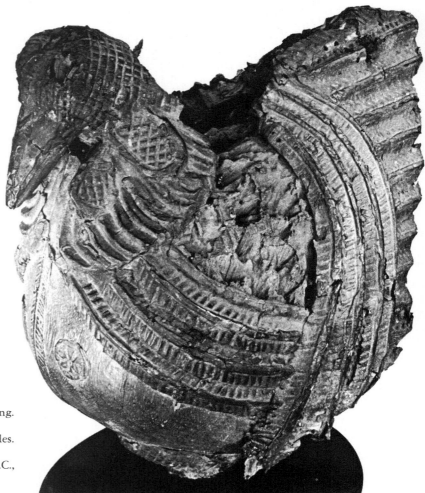

186. *Altarpiece: Cock.* Wood, brass sheeting.
12 in. Bini, Nigeria.
Tableau d'autel: coq. Bois, laiton en feuilles.
30,5 cm. Bini, Nigéria.
Museum of African Art, Washington, D.C.,
gift of Harold Rome.

187. *Bowl.* Earthenware, incised and painted.
D. 5 in. Benin Kingdom, Nigeria.
Coupe. Poterie incisée et peinte. D.
12,8 cm. Royaume du Bénin, Nigéria.
Schomburg Collection, New York.

188. *Mask*. Wood, polychrome. 11¾ in. Bini, Nigeria.
Masque. Bois polychrome. 29,8 cm. Bini, Nigéria.
Coll. Mr. & Mrs. Allen Alperton, Amityville,
New York.

189. *Standing Bini Chief*. Bronze. 19½ in. Udo City,
Nigeria. Ca. 18th C.
Chef Bini debout. Bronze. 49,5 cm. Ville d'Udo,
Nigéria. Vers le XVIIIème siècle.
Coll. Mr. & Mrs. Vincent Price, Los Angeles.

190. *Gift Box for Kola Nuts: Head of Ram.*
Wood, brass tacks. 9⅝ in. Bini, Nigeria.
*Boîte-cadeau pour noix de cola: tête de
bélier*. Bois, cloutage en cuivre. 24,5
cm. Bini. Nigéria.
Portland Art Museum, Portland, Oregon.

155

191. *Ancestor Figure: Standing Man.* Wood. 64¾ in. Kingdom of
     Brass, Nigeria. 19th C.
     Effigie d'ancêtre: homme debout. Bois. 16,5 cm. Royaume de
     Brass, Nigéria. XIXème siècle.
     Museum of African Art, Washington, D.C., gift of Bernard Reis.

192. *Dance Headpiece with Double-Effigy Crest.* Wood, feathers. 21⅛
     in. Ijo, Nigeria.
     Coiffure de danse à double effigie en cimier. Bois et plumes.
     53,8 cm. Ijo, Nigéria.
     Peabody Museum, Salem, Massachusetts.

194. *Ancestor Figure: Seated Woman.* Wood, paint traces. 33 in.
Kingdom of Brass, Nigeria. 19th C.
Effigie d'ancêtre: femme assise. Bois, traces de peinture. 83,8 cm.
Royaume de Brass, Nigéria. XIXème siècle.
University Museum, University of Pennsylvania, Philadelphia.

193. *Altar Group for Shrine of Ifijioku, Yam Spirit.* Terra cotta.
10 in. Ibo, Nigeria.
Groupe d'autel d'un sanctuaire d'Ifijioku, esprit Yam. Terre cuite.
25,4 cm. Ibo, Nigéria.
American Museum of Natural History, New York.

195. *Mmwo Society Spirit Mask.* Wood, pigment, cloth. 19
   in. Ibo, Nigeria.
   *Masque d'esprit de la société Mmwo. Bois, colorant,
   tissu. 48,2 cm. Ibo, Nigéria.*
   Coll. Mr. & Mrs. Ralph Ellison, New York.

196. *Mmwo Society Spirit Mask.* Wood, pigment, 17¾ in.
   Ibo, Nigeria.
   *Masque d'esprit de la société Mmwo. Bois et colorant.
   45,1 cm. Ibo, Nigéria.*
   University Museum, University of Pennsylvania, Phila-
   delphia.

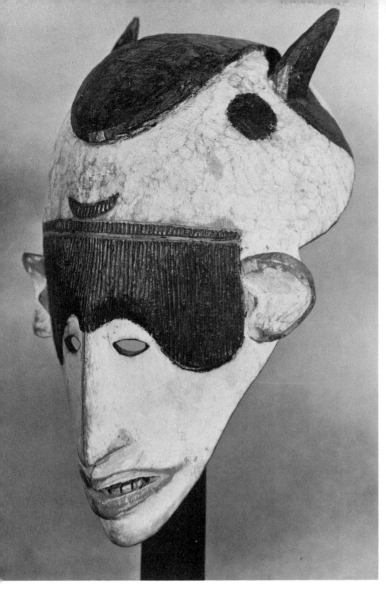

197. *Mmwo Society Spirit Mask.* Wood, pigment, 12 in. Ibo,
Nigeria.
Masque d'esprit de la société Mmwo. Bois et colorant. 30,5
cm. Ibo, Nigéria.
Indiana University Art Museum, Bloomington, gift of
Frederick Stafford.

198. *"Destroyers" Society Spirit Figure: Co-spirit of Mother of
Ghosts.* Wood, pigment. 36 in. Ibibio, Nigeria.
*Effigie d'esprit de la société des "destructeurs": esprit con-
joint de la mère des fantómes. Bois et colorant.* 91,4 cm.
Ibibio, Nigéria.
Smithsonian Institution, Washington, D.C.

199. *Ikem Society Dance Headdress: Head with Horns.* Wood covered with skin. 26 in. Ekoi, Nigeria.
Coiffure de danse de la société Ikem: tête à cornes. Bois recouvert de peau. 66 cm. Ekoi, Nigéria.
Coll. Mr. & Mrs. Ralph T. Coe, Kansas City, Missouri.

200. *Dance Headpiece: Pangolin.* Wood. L. 45 in. Ijo(?), Nigeria.
Coiffure de danse: pangolin. Bois. L. 114,3 cm. Ijo(?), Nigéria.
Coll. S. I. Hayakawa, Mill Valley, California.

201. *Head Mask.* Wood covered with skin. 16⅝ in. Ekoi, Cameroon.
     Masque. Bois recouvert de peau. 42,1 cm. Ekoi, Cameroun.
     City Art Museum, St. Louis, Missouri.

202. *Headdress: Head (Queen Victoria?) Bearing Imperial State Crown.* Wood covered with
     skin. 18½ in. Ekoi, Nigeria.
     Coiffure: tête (de la reine Victoria?) portant la couronne impériale. Bois recouvert
     de peau. 47 cm. Ekoi, Nigéria.
     American Museum of Natural History, New York.

206. *Equestrian.* Terra cotta. Ca. 6 in. Sao, Chad.
     10th–16th C.
     Cavalier. Terre cuite. Environ 15 cm. Sao,
     Tchad. Xème–XVIème siècles.
     Coll. Jay C. Leff, Uniontown, Pennsylvania.

203. *Bowl for Cult of Anjenu, Bush Spirit, with Cover
     Decorated with Human Head and Two Hornbills.*
     Wood, paint. 17 in. Akungaga village, northern
     Nigeria. Carved by Oklenyi, 1958.
     *Récipient du culte d'Anjenu, esprit de la brousse, le
     couvercle décoré d'une tête humaine et de deux
     calaos.* Bois peint. 43,2 cm. Village d'Akungaga,
     nord du Nigéria. Sculpture d'Oklenyi, 1958.
     Coll. Roy Sieber, Bloomington, Indiana.

204, 205. *Pair: Standing Man and Woman.* Wood, pig-
          ment. 204. 38½ in. 205. 35½ in. Attributed
          to northern Nigeria.
          Homme et femme debout. Bois et colorant.
          204. 97,8 cm.   205. 90,2 cm. Attribué au
          nord du Nigéria.
          Coll. Eliot Elisofon, New York.

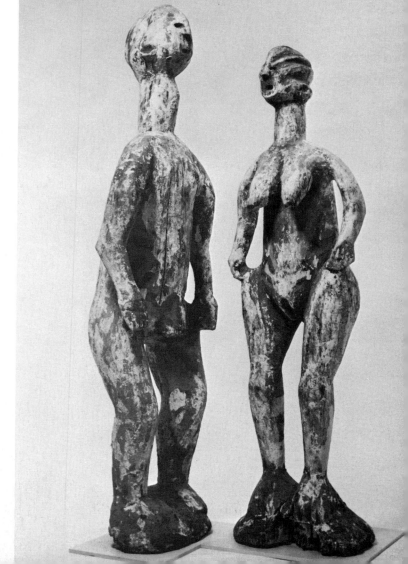

207. *Standing Woman*. Wood, raffia. 9⅞ in.
Kenga, Chad.
Femme debout. Bois et raphia. 25,1 cm.
Kenga, Tchad.
Coll. Mr. & Mrs. Irwin Hersey, New York.

208. *Vessel*. Incised gourd. 8 in. Sudan.
Récipient. Calebasse incisée. 20,3 cm. Soudan.
Peabody Museum, Harvard University,
Cambridge, Massachusetts.

209. *Mask*. Beaded cloth. 28⅛ in. Bamum, Cameroon.
Masque. Tissu emperlé. 71,4 cm. Bamoum, Cameroun.
Denver Art Museum.

210. *Ceremonial Garment*. Beaded cloth. 8 in. Cameroon.
Vêtement rituel. Tissu emperlé. 20,3 cm. Cameroun.
Coll. Mr. & Mrs. Ralph T. Coe, Kansas City, Missouri.

211. *Allegorical Tapestry*. Raffia. 68 in. Cameroon.
Tapisserie allégorique. Raphia. 173 cm. Cameroun.
Peabody Museum, Harvard University, Cambridge, Massachusetts.

212. *Helmet Mask.* Wood, pigment. 16 in. Cameroon.
Masque-casque. Bois et colorant. 40,6 cm. Cameroun.
Minneapolis Institute of Arts, William H. Dunwoody Fund.

213. *Dance Mask.* Wood. 21 in. Bamendjou, Cameroon.
Masque de danse. Bois. 53,3 cm. Bamendjou, Cameroun.
Museum of Ethnic Arts, University of California at Los Angeles,
    Wellcome Collection.

214. *Standing Man.* Terra cotta. 22¾ in. Cameroon.
     Homme debout. Terre cuite. 57,8 cm. Cameroun.
     Coll. Mrs. Gertrud A. Mellon, New York.

215. *Ointment Vessel.* Earthenware. 7 in. Bamum, Cameroon.
     Récipient à onguent. Poterie. 17,8 cm. Bamoum, Cameroun.
     Peabody Museum, Harvard University, Cambridge, Massachusetts.

216. *Standing Woman.* Wood. 16⅛ in. Cameroon.
Femme debout. Bois. 41 cm. Cameroun.
Chicago Natural History Museum.

217. *Group: King with Four Bearers.* Brass. 14 in. Bamum,
Cameroon.
Groupe: roi avec quatre porteurs. Cuivre jaune. 35,6 cm.
Bamoum, Cameroun.
Coll. Robert W. Campbell, Portland, Oregon.

218. *Group: King Sentencing Female Prisoner Flanked by Bearer of Royal Knife*
Sheath (left), Bearer of Court Flogger (right). Brass. 10 in. Cameroon.
Groupe: roi condamnant une prisonnière; à gauche le porteur du fourreau du
poignard royal; à droite le porteur du fouet. Cuivre jaune. 25,4 cm.
Cameroun.
Smithsonian Institution, Washington, D.C.

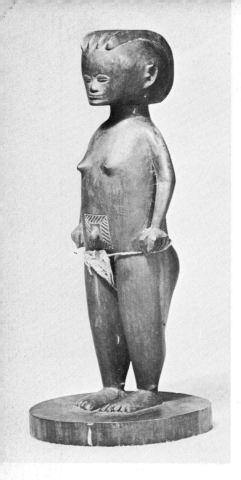

LEFT   À GAUCHE
219. *Guardian Figure for Reliquary: Woman.* Wood, fiber. 8 in. Bulu, Cameroon.
    Effigie gardienne pour un reliquaire: femme. Bois et fibre. 20,3 cm. Boulou, Cameroun.
    Peabody Museum, Harvard University, Cambridge, Massachusetts.

RIGHT   À DROITE
220. *Guardian Figure for Reliquary: Man.* Wood. 19¾ in. Ngumba, Cameroon.
    Effigie gardienne pour un reliquaire: homme. Bois. 50,2 cm. Ngoumba, Cameroun.
    Coll. Robert W. Campbell, Portland, Oregon.

LEFT   À GAUCHE
221. *Standing Woman.* Wood, shell inlay, beads, string. 18½ in. Bene, Cameroon.
    Femme debout. Bois, incrustations de coquillage, perles, ficelle. 47 cm. Bene, Cameroun.
    Peabody Museum, Harvard University, Cambridge, Massachusetts.

RIGHT   À DROITE
222. *Man Holding Cup.* Wood. 12 in. Bafu, Cameroon.
    Homme tenant une coupe. Bois. 30,5 cm. Bafou, Cameroun.
    Smithsonian Institution, Washington, D.C.

223a. Detail: standing woman.
Détail: femme debout.
Peabody Museum, Harvard University, Cambridge,
Massachusetts.

223. *Tone-Signal Hunting Horn.* Ivory. L. 18 in.
Guinea Coast.
Corne de chasse. Ivoire. L. 45,7 cm. Côte de
Guinée.

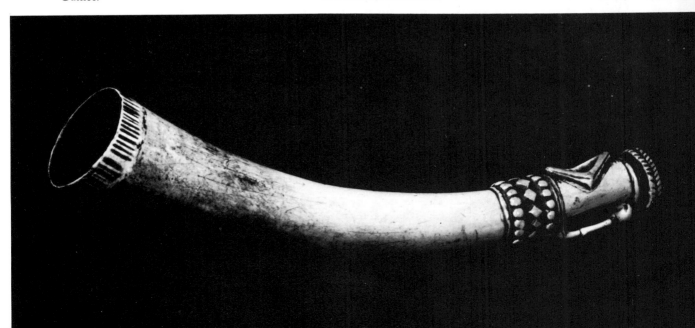

224. *Ancestor Figure: Man Holding Child.* Wood,
     patina. 26½ in. Fang, Río Muni (Spanish
     Guinea).
     Effigie d'ancêtre: homme tenant un enfant. Bois
     patiné. 67,3 cm. Fang, Rio Muni (Guinée
     espagnole).
     Peabody Museum, Harvard University, Cambridge,
     Massachusetts.

225. *Detail of Ancestor Figure: Woman.* Wood, patina. 21½ in. Fang, Río Muni (Spanish Guinea).
Détail d'effigie d'ancêtre: femme. Bois patiné. 54,6 cm. Fang, Rio Muni (Guinée espagnole).
Peabody Museum, Harvard University, Cambridge, Massachusetts.

226. *Head for Reliquary.* Wood, patina, metal. 18¼ in. Fang, Gabon.
Tête pour un reliquaire. Bois patiné et métal. 46,3 cm. Fang, Gabon.
Museum of Primitive Art, New York.

227. *Guardian Figure for Reliquary: Man.* Wood, patina. 15 in. Fang, Gabon.
Effigie gardienne pour un reliquaire: homme. Bois patiné. 38,1 cm. Fang, Gabon.
Coll. Mr. & Mrs. Paul Rabut, Westport, Connecticut.

228. *Guardian Figure for Reliquary: Woman.* Wood, patina, metal. 25¼ in. Fang, Gabon.
Effigie gardienne pour un reliquaire: femme. Bois patiné et métal. 64,1 cm. Fang, Gabon.
Museum of Primitive Art, New York.

231. *Effigy Harp.* Wood, patina, string. 28½ in. Fang, Gabon.
Harpe à effigie. Bois patiné et ficelle. 72,4 cm. Fang, Gabon.
Coll. Mr. & Mrs. Mauricio Lasansky, Iowa City.

FACING LEFT   EN FACE, À GAUCHE
229. *Guardian Figure for Reliquary: Man.* Wood, patina. 23 in. Fang, Gabon.
Effigie gardienne pour un reliquaire: homme. Bois patiné. 58,4 cm. Fang, Gabon.
Brooklyn Museum.

FACING RIGHT   EN FACE, À DROITE
230. *Guardian Figure for Reliquary: Man Holding Knife.* Wood, patina. 20½ in. Fang, Gabon.
Effigie gardienne pour un reliquaire: homme tenant un couteau. Bois patiné. 52 cm. Fang, Gabon.
Philadelphia Museum of Art, Arensberg Collection.

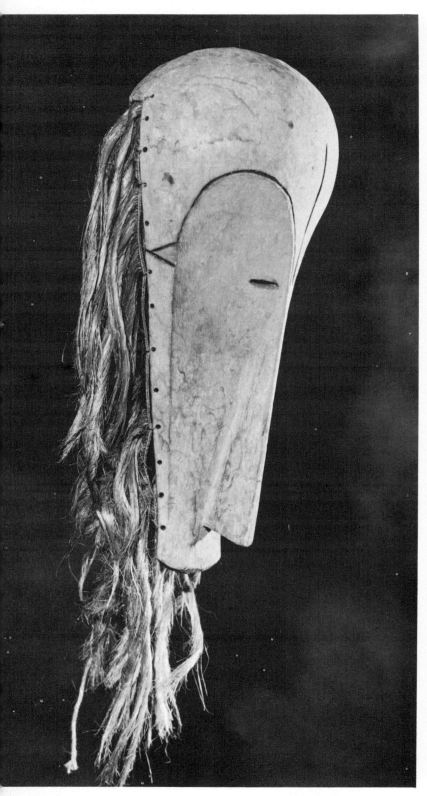

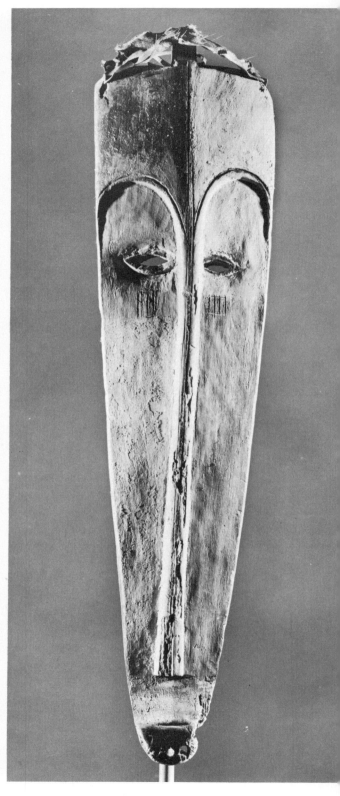

232. *Dance Mask*. Wood, pigment, fiber. 21½ in.
Fang, Gabon.
Masque de danse. Bois, colorant, fibre. 54,7
cm. Fang, Gabon.
Denver Art Museum, gift of Frederich Rieb-
ling.

233. *Dance Mask*. Wood, pigment. 25½ in. Fang,
Gabon.
Masque de danse. Bois et colorant. 64,8 cm.
Fang, Gabon.
Coll. Mr. & Mrs. Harold Rome, New York.

235. *Dance Mask.* Wood, paint. 17 in. Fang, Gabon. (Formerly in collections of Maurice Vlaminck and André Derain.)
Masque de danse. Bois peint. 43,2 cm. Fang, Gabon. (Ayant appartenu aux collections de Maurice Vlaminck et d'André Derain.)
Toledo Museum of Art.

BELOW, RIGHT   AU-DESSOUS, À DROITE
236. *Figure.* Wood, metal sheeting, patina. 12 in. Nitsogo, Gabon.
Figure. Bois, métal en feuilles, patine. 30,5 cm. Nitsogo, Gabon.
Coll. Paul Tishman, New York.

234. *Mask.* Wood, pigment, horn, feathers, grass. 26¼ in. Fang, Gabon.
Masque. Bois, colorant, corne, plumes, herbe. 66,7 cm. Fang, Gabon.
Lowie Museum of Anthropology, University of California, Berkeley.

237. *Detail of Mbulu-Ngulu Figure for Reliquary.* Wood, brass and copper sheeting. 24½ in. Bakota (Kota), Gabon.
Détail d'effiigie de Mbulu-Ngulu pour un reliquaire. Bois, laiton et cuivre rouge en feuilles. 62,2 cm. Bakota (Kota), Gabon.
Coll. Mrs. Edith Gregor Halpert, New York.

239. *Naja or Ossyebe Figure for Reliquary.* Wood, brass and copper
sheeting. 21 in. Bakota, Gabon.
Effigie de Naja ou Ossyeba pour un reliquaire. Bois, laiton et cuivre
rouge en feuilles. 53,3 cm. Bakota, Gabon.
Coll. Emil J. Arnold, New York.

238. *Janus-Faced Mbulu-Viti Figure for Reliquary.* Wood, brass and
copper sheeting. 26¼ in. Bakota, Gabon.
Effigie de Mbulu-Viti à visages de Janus, pour un reliquaire. Bois,
laiton et cuivre rouge en feuilles. 66,6 cm. Bakota, Gabon.
Museum of Ethnic Arts, University of California at Los Angeles,
Wellcome Collection.

240. *Naja Figure for Reliquary.* Wood, brass and copper sheeting. 24 in.
Bakota, Gabon.
Effigie de Naja pour un reliquaire. Bois, laiton et cuivre rouge en
feuilles. 61 cm. Bakota, Gabon.
Coll. Emil J. Arnold, New York.

241. *Mbulu-Ngulu Figure for Reliquary*. Wood, brass and copper sheeting. 28 in. Bakota, Gabon.
Effigie de Mbulu-Ngulu pour un reliquaire. Bois, laiton et cuivre rouge en feuilles. 71 cm. Bakota, Gabon.
Smithsonian Institution, Washington, D.C., Herbert Ward Collection.

242. *Bell with Effigy Handle*. Iron, wood, pigment. 16¾ in. Gabon.
    Cloche, la poignée à effigie. Fer, bois, colorant. 42,5 cm. Gabon.
    Coll. Ernest Erickson, New York.

243. *Figure on Stool*. Wood. 22½ in. Bakota, Gabon.
    Figure sur un siège. Bois. 57,1 cm. Bakota, Gabon.
    University Museum, University of Pennsylvania, Philadelphia.

244. *Woman Holding Calabash Rattles.*
Wood, glass inlay, string. 15½ in.
Balumbo (Lumbu), Congo (Brazza-
ville).
Femme tenant des crecelles en calebasse.
Bois, incrustations de verre, ficelle.
39,3 cm. Balumbo (Lumbu), Congo-
Brazzaville.
Cincinnati Art Museum.

FACING   EN FACE
245. *Spirit Mask.* Wood, pigment. 11⅜ in.
Balumbo, Ogowe River region, Gabon.
Masque d'esprit. Bois et colorant. 28,9
cm. Balumbo, Région de l'Ogooué,
Gabon.
Museum of Primitive Art, New York,
gift of Eliot Elisofon.

FACING   EN FACE
246. *Spirit Mask.* Wood, pigment. 10 in.
Ogowe River region, Congo (Brazzaville).
Masque d'esprit. Bois et colorant. 25,4
cm. Région de l'Ogooué, Congo-Brazzaville.
Coll. Mr. & Mrs. Irwin Hersey, New
York.

FACING RIGHT   EN FACE, À DROITE
247. *Seated Musician Playing Thumb-Piano.*
Wood, pigment. 28¼ in. Basundi
(Sundi), Congo (Brazzaville).
Musicien assis, jouant d'une sauza. Bois
et colorant. 71,7 cm. Basoundi
(Soundi), Congo-Brazzaville.
Smithsonian Institution, Washington,
D.C., Ward Collection.

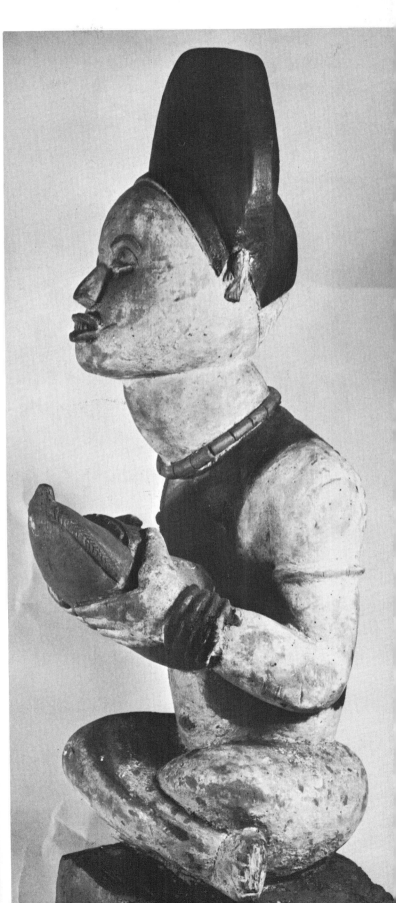

248. *Fetish: Double Figure.* Wood, teeth, beads, cloth. 7¼ in. Bateke (Teke), Congo (Brazzaville).
Fétiche: double effigie. Bois, dents, perles, tissu. 18,4 cm. Batéké (Téké), Congo-Brazzaville.
Coll. Mr. & Mrs. E. Clark Stillman, New York.

FACING   EN FACE
249. *Mask.* Wood. 14 in. Babangi (Bangi), Congo (Brazzaville).
Masque. Bois. 35,6 cm. Babangi (Bangi), Congo-Brazzaville.
Museum of Modern Art, New York, Mrs. John D. Rockefeller, Jr. Purchase Fund.

254. *Dance Mask: Animal Head.* Wood, paint. 20¾ in. Bakwele, Congo (Brazzaville).
Masque de danse: tête d'animal. Bois peint. 52,7 cm. Bakouélé, Congo-Brazzaville.
Museum of Primitive Art, New York.

FACING PAGE: EN FACE:
ABOVE LEFT   AU-DESSUS, À GAUCHE
250. *Dance Mask.* Wood, pigment, feathers. 11¾ in. Bavili (Vili), Congo (Brazzaville).
     Masque de danse. Bois, colorant, plumes. 30 cm. Bavili (Vili), Congo-Brazzaville.
     University Museum, University of Pennsylvania, Philadelphia.

ABOVE RIGHT   AU-DESSUS, À DROITE
251. *Drummer.* Wood. 5¾ in. Bavili, Congo (Brazzaville).
     Joueur de tambour. Bois. 14,6 cm. Bavili, Congo-Brazzaville.
     Coll. Mr. & Mrs. Irwin Hersey, New York.

BELOW LEFT   AU-DESSOUS, À GAUCHE
252. *Mask.* Wood, pigment. 14½ in. Loango, Congo (Brazzaville).
     Masque. Bois et colorant. 36,8 cm. Loango, Congo-Brazzaville.
     Schomburg Collection, New York.

BELOW RIGHT   AU-DESSOUS, À DROITE
253. *Four-Faced Effigy Staff Head.* Wood, pigment. 21 in. Bakwele (Kwele), Gabon.
     Pommeau de canne avec effigie à quatre visages. Bois et colorant. 53,4 cm. Bakouélé (Kouélé), Gabon.
     Coll. Mr. & Mrs. Herbert Baker, Chicago.

255. *Four-Faced Casque Mask.* Wood, pigment. 12 in. Mpongwe, Gabon.
    Masque-casque à quatre visages. Bois et colorant. 30,5 cm. Mpongwe, Gabon.
    Coll. Mr. & Mrs. Stanley Marcus, Houston.

BELOW, LEFT   AU-DESSOUS, À GAUCHE

256. *Dance Headpiece: Human Head Surmounted by Leopard.* Wood, pigment. 31½ in. Kuyu, Congo (Brazzaville).
    Coiffure de danse: tête humaine surmontée d'un léopard. Bois et colorant. 80 cm. Koyou, Congo-Brazzaville.
    Coll. Mr. & Mrs. Vincent Price, Los Angeles.

257. *Figure for Household Shrine: Seated Man.* Wood, ivory inlay. 8⅜ in. Babembe (Bembe), Congo (Brazzaville).
    Effigie pour un culte domestique: homme assis. Bois, incrustations d'ivoire. 21,4 cm. Babembé (Bembé), Congo-Brazzaville.
    City Art Museum, St. Louis.

258. *Lilwa Cult Figure, Male, for Hanging on Wall.*
Wood. 32½ in. Bambole (Mbole), Congo
(Léopoldville).
*Effigie pour le culte de Lilwa, mâle, à accrocher
au mur. Bois. 82,5 cm. Bambolé (Mbolé),
Congo-Léopoldville.*
Coll. Mr. and Mrs. E. Clark Stillman, New York.

259. *Figure.* Wood. 11½ in. Baboma (Boma), Congo
(Léopoldville).
*Effigie. Bois. 29,2 cm. Baboma (Boma), Congo-
Léopoldville.*
Coll. Mr. & Mrs. E. Clark Stillman, New York.

265. *Woman Holding Child.* Wood. 23½ in. Azande, Congo (Léopoldville). Probably Mangbetu manufacture.
Femme tenant son enfant. Bois. 59,7 cm. Azandé, Congo-Léopoldville. Fabrication Mangbétou probable.
American Museum of Natural History, New York.

264. *Drinking Cup.* Wood, incised and burnt. 5 in. Mangbetu, Congo (Léopoldville).
Coupe pour boire. Bois, gravé en creux et brûlé. 12,7 cm. Mangbétou, Congo-Léopoldville.
American Museum of Natural History, New York.

266. *Drum in Shape of Buffalo*. Wood. 19 in. Mangbetu. Congo (Léopoldville).
Tambour en forme de buffle. Bois. 48,3 cm. Mangbétou, Congo-Léopoldville.
American Museum of Natural History, New York.

FACING, ABOVE   AU-DESSUS, EN FACE
267.   *Amulet: Standing Man*. Ivory. 3⅛ in. Balega (Lega) or Warega, Congo (Léopoldville).
Amulette: homme debout. Ivoire. 8 cm. Baléga (Léga) ou Waréga, Congo-Léopoldville.
Coll. Mr. & Mrs. E. Clark Stillman, New York.

FACING, BELOW   AU-DESSOUS, EN FACE
268.   *Ritual Figure*. Ivory, cowrie shells. 3¼ in. Balega, Congo (Léopoldville).
Effigie rituelle. Ivoire et cauris. 8,2 cm. Baléga, Congo-Léopoldville.
Coll. Mr. & Mrs. E. Clark Stillman, New York.

269. *Ritual Figure with Hands on Head.* Wood, pigment.
13 in. Balega, Congo (Léopoldville).
Effigie rituelle, les mains sur la tête. Bois et colorant.
33 cm. Baléga, Congo-Léopoldville.
American Museum of Natural History, New York.

271. *Bwami Society Six-Faced Ritual Figure, Symbol of Elders'
Knowledge and Impartiality.* Wood, pigment. Ca. 12 in.
Balega, Congo (Léopoldville).
*Effigie rituelle à six visages de la société Bwami, symbole des
connaissances et de l'impartialité des anciens.* Bois et color-
ant. Environ 30 cm. Baléga, Congo-Léopoldville.
Coll. Mr. & Mrs. Ernst Anspach, New York.

270. *Bwami Society Initiation Ceremony Mask.* Wood, pigment,
fiber. 7 in. Balega, Congo (Léopoldville).
Masque de cérémonie initiatique de la société Bwami. Bois,
colorant, fibre. 17,8 cm. Baléga, Congo-Léopoldville.
Smithsonian Institution, Washington, D. C.

272. *Bwami Society Initiation Figure, Symbol of Rank.* Wood, brass tacks, beads, fur. 14 in. Balega, Congo (Léopoldville).
Effigie initiatique de la société Bwami, symbole de rang. Bois, cloutage en cuivre, perles, fourrure. 35,5 cm. Baléga, Congo-Léopoldville.
Smithsonian Institution, Washington, D. C.

273. *Ritual Figure with Raised Arms.* Wood, brass tacks. 9¼ in. Balega, Congo (Léopoldville).
Effigie rituelle aux bras levés. Bois, cloutage en cuivre. 23,5 cm. Baléga, Congo-Léopoldville.
Coll. John P. Anderson, Red Wing, Minnesota.

274. *Head*. Stone. 7 in. Basikasingo, Congo (Léopoldville).
Tête. Pierre. 17,8 cm. Basikasingo, Congo-Léopoldville.
Coll. Mr. & Mrs. Gaston de Havenon, New York.

275. *Ancestor Figure: Standing Man.* Wood, patina. 34 in. Basikasingo, Congo (Léopoldville).
Effigie d'ancêtre: homme debout. Bois patiné. 86,4 cm. Basikasingo, Congo-Léopoldville.
Coll. Mr. & Mrs. Gustave Schindler, New York.

276. *Mask.* Wood. 20 in. Babembe (Bembe) or Wabembe, Congo (Léopoldville).
Masque. Bois. 50,8 cm. Babembé (Bembé) ou Wabembé, Congo-Léopoldville.
Coll. Mrs. Katherine W. Merkel, Gates Mills, Ohio.

277. *Amulet: Kneeling Woman.* Bone. 3¾ in. Bahuana (Huana), Congo (Léopoldville).
Amulette: femme agenouillée. Os. 9,5 cm. Bahuana (Huana), Congo-Léopoldville.
Coll. Mr. & Mrs. E. Clark Stillman, New York.

278. *Amulet: Kneeling Woman.* Ivory. 2⅜ in. Bahuana, Congo (Léopoldville).
Amulette: femme agenouillée. Ivoire. 6 cm. Bahuana, Congo-Léopoldville.
Property Mrs. Robert Woods Bliss, Washington, D. C.

279. *Initiation Pendant: Mask.* Ivory. 2¼ in. Bapende (Pende), Congo (Léopoldville).
Pendentif d'initiation: masque. Ivoire. 5,7 cm. Bapendé (Pendé), Congo-Léopoldville.
Memorial Art Gallery, University of Rochester.

280. *Ancestor Image.* Ivory, brass setting (from bridge of 19th-C. American sailing ship). 3½ in. Baluba (Luba), Congo (Léopoldville).
Effigie d'ancêtre. Ivoire, monture de laiton (provenant du pont d'un voilier américain du XIXème siècle). 8,9 cm. Balouba (Louba), Congo-Léopoldville.
Coll. Mr. & Mrs. E. Clark Stillman, New York.

281. *Woman Holding Baby.* Wood, glass inlay, brass. 13⅝ in. Bakongo, Congo (Léopoldville).
Femme tenant son bébé. Bois, incrustations de verre, cuivre jaune. 34,6 cm. Bakongo, Congo-Léopoldville. Museum of Primitive Art, New York.

282. *Guardian Figure: Mother Nursing Baby.* Stone. 13⅜ in. Bakongo (Kongo), Congo (Brazzaville).
Effigie gardienne: mère allaitant son bébé. Pierre. 34 cm. Bakongo (Kongo), Congo (Brazzaville). Seattle Art Museum, Margaret E. Fuller Purchase Fund.

283. *Fetish: Man with Baskets.*
Wood, mirror, tacks, basketry. 10½ in. Bakongo,
Congo (Léopoldville).
Fétiche: homme aux paniers.
Bois, miroir, clous, vannerie.
26,7 cm. Bakongo, Congo-Léopoldville.
Coll. Mr. & Mrs. Chaim Gross,
New York.

284. *Fertility Figure: Standing Woman.* Wood, glass inlay.
10¼ in. Bakongo, Congo (Léopoldville).
Effigie de fécondité: femme debout. Bois, incrustations de verre. 26 cm. Bakongo, Congo-Léopoldville.
Coll. Peter Pollack, New York.

285. *Standing Woman.* Wood. 11 in. Bayaka (Yaka), Congo (Léopoldville).
Femme debout. Bois. 28 cm. Bayaka (Yaka), Congo-Léopoldville.
Peabody Museum, Harvard University, Cambridge, Massachusetts.

286. *Bowl.* Earthenware, incised decoration. 4½ in. Bambala (Mbala), Congo (Léopoldville).
Récipient. Poterie, décorations incisées. 11,4 cm. Bambala (Mbala), Congo-Léopoldville.
Schomburg Collection, New York.

288. *Double Figure.* Wood, pigment. 22½ in. Basuku
    (Suku), Congo (Léopoldville).
    Effigie double. Bois et colorant. 57,1 cm. Basou-
    kou (Soukou), Congo-Léopoldville.
    Coll. Mr. & Mrs. Allen Alperton, Amityville,
    New York.

287. *Standing Figure.* Wood. 13⅛ in. Bayaka, Congo
    (Léopoldville).
    Effigie debout. Bois. 33,3 cm. Bayaka, Congo-
    Léopoldville.
    Coll. Mr. & Mrs. E. Clark Stillman, New York.

289. *Nginda, War Fetish of Kilembe Sect.* Wood, beads, fiber, rope, bell, knife. 45½ in. Bapende (Pende), Congo (Léopoldville).
   Nginda, fétiche guerrier de la secte Kilembe. Bois, perles, fibre, corde, cloche, couteau. 115,6 cm. Bapendé (Pendé), Congo-Léopoldville.
American Museum of Natural History, New York.

290. *Casque Mask.* Wood, paint. 11½ in. Bapende, Congo (Léopoldville).
   Masque-casque. Bois peint. 29,2 cm. Bapendé, Congo-Léopoldville.
Museum of African Art, Washington, D.C., gift of Harold Rome.

FACING   EN FACE
291. *Fragment of Roof Pinnacle Figure Representing Wife of Chief.* Wood. 17½ in. Bapende, Congo (Léopoldville).
   Fragment d'une effigie du sommet de case représentant l'épouse d'un chef. Bois. 44,5 cm. Bapendé, Congo-Léopoldville.
Coll. Mr. & Mrs. Harold Rome, New York.

292. *Mask for Boys' Initiation Ceremony.* Wood, pigment, cloth. 12 in. Bapende, Congo
    (Léopoldville).
    Masque pour la cérémonie d'initiation des jeunes garçons. Bois, colorant, tissu. 30,5
    cm. Bapendé, Congo-Léopoldville.
    Coll. Mr. & Mrs. Allen Alperton, Amityville, New York.

294. *Patterned Textile.* Raffia velour. L. 62 in. Bakuba
     (Kuba) or Bushongo, Congo (Léopoldville).
     Textile à motif. Raphia velouté. L. 157,5 cm. Ba-
     kouba (Kouba) ou Bushongo, Congo-Léopold-
     ville.
     Coll. Paul Tishman, New York.

293. *Fetish: Kneeling Woman.* Wood, mirror, tukula. 12
     in. Badia (Dia), Congo (Léopoldville).
     Fétiche: femme agenouillée. Bois, miroir, tukula.
     30,5 cm. Badia (Dia), Congo-Léopoldville.
     Peabody Museum, Harvard University, Cambridge,
     Massachusetts.

299. *Helmet Mask.* Wood, pigment. 19½ in. Bakuba, Congo (Léopoldville).
Masque-casque. Bois et colorant. 49,5 cm. Bakouba, Congo-Léopoldville.
Minneapolis Institute of Arts, gift in memory of Arthur G. Cohen.

300. *Dance Mask.* Wood, pigment. 17 in. Bakuba, Congo (Léopoldville).
Masque de danse. Bois et colorant. 43,2 cm. Bakouba, Congo-Léopoldville.
Cleveland Museum of Art, J. A. Ford Memorial Fund.

301. *Staff: Woman Holding Child.* Wood. 14 in. Bena Lulua (Lu-
       luwa), Congo (Léopoldville).
       Bâton: femme tenant un enfant. Bois. 35,6 cm. Bena Lulua
       (Luluwa), Congo-Léopoldville.
       Brooklyn Museum.

302. *Effigy Cup.* Wood, metal. 7¾ in. Bena Lulua, Congo (Léo-
       poldville).
       Coupe à effigie. Bois et métal. 19,7 cm. Bena Lulua, Congo-
       Léopoldville.
       Coll. Mr. & Mrs. Harold Rome, New York.

303. *Tobacco Mortar: Squatting Man*. Wood. 8½ in. Bena Lulua, Congo (Léopoldville).
    Mortier à tabac: homme accroupi. Bois. 21,6 cm. Bena Lulua, Congo-Léopoldville.
    Coll. Mr. & Mrs. E. Clark Stillman, New York.

ABOVE RIGHT   AU-DESSUS, À DROITE
304. *Man Holding Cup*. Wood, tukula. 10¾ in. Bena Lulua, Congo (Léopoldville).
    Homme tenant une coupe. Bois et tukula. 27,3 cm. Bena Lulua, Congo-Léopoldville.
    Museum of Primitive Art, New York.

305. *Woman Holding Child*. Wood, metal ring. 9¾ in. Bena Lulua, Congo (Léopoldville).
    Femme tenant un enfant. Bois et anneau de métal. 24,7 cm. Bena Lulua, Congo-Léopoldville.
    Museum of Primitive Art, New York.

306. *Ceremonial Dance Mask for Kifwebe Secret Society.* Wood, pigment. 21 in. Basonge
     (Songe), Congo (Léopoldville).
     Masque cérémoniel de danse de la société secrète Kifwebe. Bois et colorant. 53,4 cm.
       Basongé (Songé), Congo-Léopoldville.
     Philadelphia Museum of Art, S. S. White Collection.

307. *Chief's Stool.* Wood, teeth, beads. 19 in. Basonge, Congo
(Léopoldville).
Siège du Chef. Bois, dents, perles. 48,2 cm. Basongé, Congo-
Léopoldville.
Coll. Mr. & Mrs. E. Clark Stillman, New York.

308. *Fetish: Man.* Wood, horn, brass tacks. 28⅛ in. Basonge,
Congo (Léopoldville).
Fétiche: homme. Bois, corne, cloutage en cuivre. 71,6 cm.
Basongé, Congo-Léopoldville.
Art Institute of Chicago.

309. *Kalebue Ceremonial Dance Mask.*
Wood, pigment. 14½ in. Ba-
songe, Congo (Léopoldville).
Masque cérémoniel de danse Ka-
lebue. Bois et colorant. 36,8 cm.
Basongé, Congo-Léopoldville.
Coll. Eliot Elisofon, New York.

FACING PAGE: EN FACE:
ABOVE LEFT   AU-DESSUS, À GAUCHE
310. *Kifwebe Mask.* Wood, pigment. 13 in. Basonge, Congo (Léopoldville).
    Masque Kifwebe. Bois et colorant. 33 cm. Basongé, Congo-Léopoldville.
    Coll. Mr. & Mrs. Irwin Hersey, New York.
BELOW LEFT   AU-DESSOUS, À GAUCHE
311. *Dance Mask.* Wood, pigment. 16½ in. Basonge, Congo (Léopoldville).
    Masque de danse. Bois et colorant. 42 cm. Basongé, Congo-Léopoldville.
    University Museum, University of Pennsylvania, Philadelphia.
RIGHT   À DROITE
312. *Fetish: Standing Man.* Wood, metal. 31 in. Basonge, Congo (Léopoldville).
    Fétiche: homme debout. Bois et métal. 78,8 cm. Basongé, Congo-Léopoldville.
    Coll. Bernard Reis, New York.

RIGHT AND FACING

À DROITE ET EN FACE

313, 313a. *Chief's Emblematic Ax with Effigy Handle*. Wood, metal. 15¾ in. Baluba (Luba), Congo (Léopoldville).
Hache emblématique du chef, le manche à effigie. Bois et métal. 40 cm. Balouba (Louba), Congo-Léopoldville.
Smith College Museum of Art, Northampton, Massachusetts.

FACING   EN FACE

315. *Secret Society Initiation Test Board Decorated with Secret Symbols*. Wood. L. 28½ in. Baluba, Congo (Léopoldville).
Planche d'épreuve initiatique d'une société secrète, décorée de symboles secrets. Bois. L. 72,4 cm. Balouba, Congo-Léopoldville.
Smithsonian Institution, Washington, D.C., Ward Collection.

314. *Chief's Stool.* Wood. 13¼ in. Baluba, Congo (Léopoldville).
Siège du chef. Bois. 33,7 cm. Balouba, Congo-Léopoldville.
Schomburg Collection, New York.

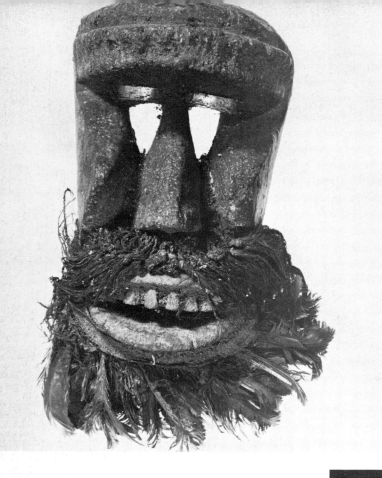

316. *Mask.* Wood, paint, raffia. 15 in. Baluba, Congo (Léopoldville).
Masque. Bois peint et raphia. 38,1 cm. Balouba, Congo-Léopoldville.
Coll. Eliot Elisofon, New York.

BELOW, LEFT   AU-DESSOUS, À GAUCHE

317. *Drum Decorated with Hands.* Wood, hide. 27½ in. Bakuba, Congo (Léopoldville).
Tambour décoré de mains. Bois et cuir. 69,8 cm. Bakouba, Congo-Léopoldville.
Coll. Eliot Elisofon, New York.

318. *Mask.* Beads, cowrie shells, wood, fiber cloth. 18 in. Bakuba, Congo (Léopoldville).
Masque. Perles, cauris, bois, tissu de fibres. 45,7 cm. Bakouba, Congo-Léopoldville.
American Museum of Natural History, New York.

220

319. *Kifwebe Mask.* Wood, pigment. 18½ in. Baluba, Congo (Léopoldville).
Masque Kifwebe. Bois et colorant. 47 cm. Balouba, Congo-Léopoldville.
Museum of Ethnic Arts, University of California at Los Angeles.

320. *Chief Represented as Religious Leader.* Wood. 31 in. Baluba, Congo (Léopoldville).
Chef représenté comme dirigeant religieux. Bois. 78,8 cm. Balouba, Congo-Léopoldville.
Smithsonian Institution, Washington, D.C., Ward Collection.

321. *Chief's Stool.* Wood. 20 in. Bena Kanioka, Congo (Léopoldville).
Siège du chef. Bois. 50,8 cm. Bena Kanioka, Congo-Léopoldville.
Peabody Museum, Harvard University, Cambridge, Massachusetts.

322. *Figure.* Wood. Ca. 8 in. Bangobango (Hombo), Congo (Léopoldville).
Figure. Bois. Environ 20 cm. Bangobango (Hombo), Congo-Léopoldville.
Smithsonian Institution, Washington, D.C.

323. *Ancestor Figure: Woman.* Wood. 25 in. Baholoholo (Holoholo), Congo (Léopoldville).
Effigie d'ancêtre: femme. Bois. 63,5 cm. Baholoholo (Holoholo), Congo-Léopoldville.
Smithsonian Institution, Washington, D.C.

324. *Ancestor Figure: Man.* Wood. 24 in. Baholoholo, Congo (Léopoldville).
Effigie d'ancêtre: homme. Bois. 61 cm. Baholoholo, Congo-Léopoldville.
Smithsonian Institution, Washington, D.C.

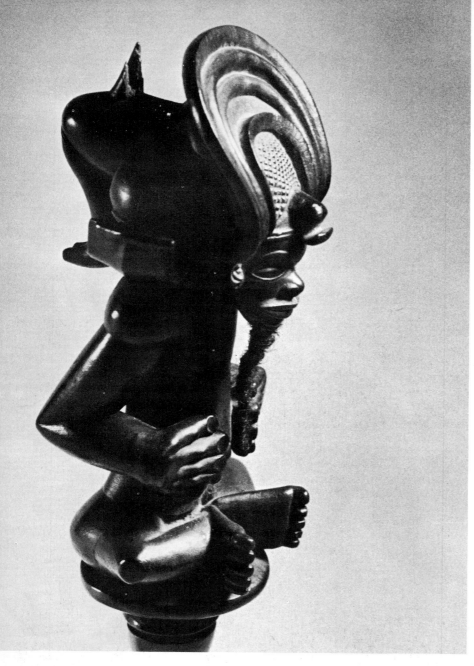

325. *Staff Head: Seated Man.* Wood, hair. Figure 7¾ in. Bachokwe (Chokwe), Angola.
Pommeau de canne: homme assis. Bois et cheveux. Figure 19,7 cm. Bachokwe (Chokwe), Angola.
Howard University Art Gallery, Washington, D.C., Alain Locke Collection.

326. *Effigy Staff.* Wood. 32½ in. Bachokwe, Angola.
Bâton à effigie. Bois. 82,6 cm. Bachokwe, Angola.
Coll. Mr. & Mrs. Erle Loran, Berkeley, California.

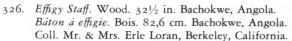

327. *Po, Entertainment Mask Representing Pretty Girl.*
Wood, paint. 7½ in. Bachokwe, Angola.
Masque de spectacle Po, représentant une jolie fille.
Bois peint. 19 cm. Bachokwe, Angola.
William Rockhill Nelson Gallery of Art, Kansas City,
Missouri, Howard Adams Fund.

328. *Standing Man.* Wood, beads. 15½ in. Bachokwe,
Angola.
Homme debout. Bois et perles. 39,4 cm. Bachokwe,
Angola.
Commercial Museum, Philadelphia.

329. *Marriage Fetish(?)*. Stone. 13 in. Ancient Zimbabwe, Rhodesia. Before 7th C. A.D.(?).
Fétiche de mariage(?). Pierre. 33 cm. Zimbabwe ancien, Rhodésie. Antérieur au VIIème siècle (?).
Coll. Paul Tishman, New York.

330. *Woman with Child on Back*. Wood, beads. 15½ in. Mbundu, Angola.
Femme portant un enfant sur le dos. Bois et perles. 39,4 cm. Mbundu, Angola.
Peabody Museum, Harvard University, Cambridge, Massachusetts.

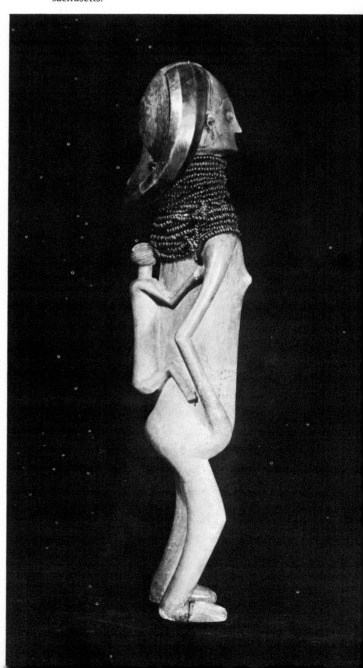

331. *Vegetable Bowl with Cover Decorated*
with Equestrian. Wood. L. 18 in. Barotse (Lozi), Zambia.
Récipient à légumes, le couvercle orné
d'un cavalier. Bois. L. 45,7 cm. Barotsé (Lozi), Zambie.
Schomburg Collection, New York.

332. *Ceremonial Spoon.* Wood. L. 19 in.
Barotse, Zambia.
Cuiller de cérémonie. Bois. L. 48,3 cm.
Barotsé, Zambie.
Coll. Paul Tishman, New York.

333. *Chair Decorated with Genre Figures.* Wood, beads. 24½
in. Bachokwe, Angola.
Siège décoré de figurines de genre. Bois et perles. 62,2 cm.
Bachokwe, Angola.
Buffalo Museum of Science.

334. *Standing Man.* Wood. 17 in. Luena (Luvale), Zambia.
Homme debout. Bois. 43,2 cm. Luena (Luvale), Zambie.
Commercial Museum, Philadelphia.

335. *Headrest with Support in Form of Buffalo.* Wood. 5½ in. Mashona
(Shona), Rhodesia.
Appui-tête avec soutien en forme de buffle. Bois. 13,3 cm. Mashona
(Shona), Rhodésie.
Coll. Mr. & Mrs. Harold Rome, New York.

337. *Headrest.* Wood. L. 18½ in. Zulu, South Africa.
Appui-tête. Bois. L. 47 cm. Zoulou, Afrique du Sud.
Coll. Warren M. Robbins, Washington, D.C.

336. *Headrest.* Wood, metal rings. 5½ in. Mashona, Rhodesia.
Appui-tête. Bois et anneaux de métal. 13,3 cm. Mashona, Rhodésie.
Coll. Mr. & Mrs. Harold Rome, New York.

338. *Pillow-Trinket Box in Form of Buffalo.* Wood. L. 23 in. Zulu,
South Africa.
Oreiller-boîte à colifichets en forme de buffle. Bois. L. 58,4 cm. Zou-
lou, Afrique du Sud.
Peabody Museum, Harvard University, Cambridge, Massachusetts.

339. *Jar.* Earthenware, incised decoration. 26 in. Bahutu (Hutu), Rwanda.
Jarre. Poterie, décorations incisées. 66 cm. Bahutu (Hutu), Rwanda.
Smithsonian Institution, Washington, D.C.

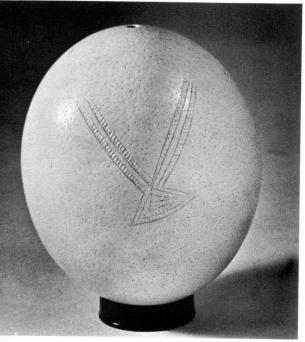

340. *Drinking Vessel Decorated with Identification Symbol.* Ostrich egg-
shell, incised. 6 in. Bushman, South Africa.
Récipient pour boire, décoré d'un symbole d'identification. Coquille
d'œuf d'autruche, incisée. 15,2 cm. Bushman, Afrique du Sud.
Coll. Mr. & Mrs. Allen Bassing, Washington, D.C.

341. *Beads.* Amber on leather strap. D. of beads 2 in. Somalia.
Perles. Ambre sur une sangle de cuir. D. des perles 5 cm. Somalie.
Property Mrs. Robert Woods Bliss, Washington, D.C.

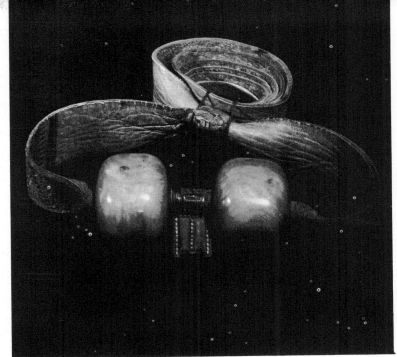

342. *Milk Vessel.* Earthenware, impressed and applied decoration. 11 in. Bahima (Hima), Uganda.
Récipient à lait. Poterie, décorations imprimées et appliquées. 28 cm. Bahima (Hima), Ouganda.
Schomburg Collection, New York.

343. *Mask*. Wood. 10 in. Tanzania.
Masque. Bois. 25,4 cm. Tanzanie.
Schomburg Collection, New York.

345. *Young Girl*. Wood, metal. 15¾ in. Makonde, Mozambique.
Jeune fille. Bois et métal. 40 cm. Makondé, Mozambique.
Coll. Jay C. Leff, Uniontown, Pennsylvania.

344. *Standing Woman*. Wood, metal. 18 in. Wasaramo (Zaramo), Tanzania.
Femme debout. Bois et métal. 45,7 cm. Wasaramo (Zaramo), Tanzanie.
Commercial Museum, Philadelphia.

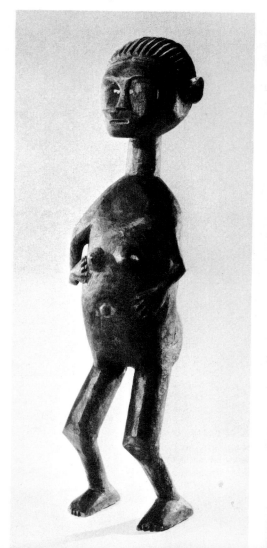

232

346. *Standing Woman.* Wood, cloth. 15 in. Sakalava, Malagasy Republic (Madagascar).
Femme debout. Bois et tissu. 38,1 cm. Sakalava, République malgache (Madagascar).
Coll. Mr. & Mrs. Herbert Baker, Chicago.

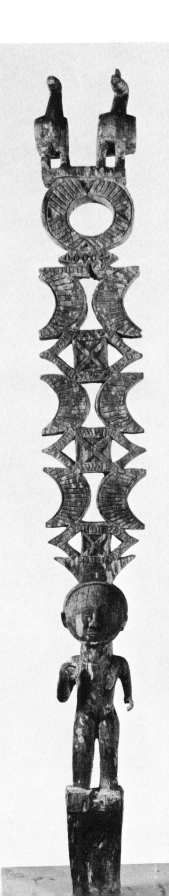

347. *Aloala, Grave Post with Human Figure Surmounted by Symbolic Crest.* Wood. 72¾ in. Southern Madagascar, Malagasy Republic.
Aloala, poteau funéraire à effigie humaine surmontée d'un cimier symbolique. Bois. 185 cm. Sud de Madagascar, République malgache.
University Museum, University of Pennsylvania, Philadelphia.

Collections

Private Collections-Collections privées

Mr. & Mrs. Allen Alperton, Amityville, New York

John P. Anderson, Red Wing, Minnesota

Mr. & Mrs. Ernst Anspach, New York

Emil J. Arnold, New York

Mr. & Mrs. Herbert Baker, Chicago

Mr. & Mrs. Howard Barnet, New York

Mr. & Mrs. William R. Bascom, Berkeley, California

Mr. & Mrs. Allen Bassing, Washington, D.C.

Mrs. Robert Woods Bliss, Washington, D.C.

Mr. & Mrs. David Burns, Washington, D.C.

Robert W. Campbell, Portland, Oregon

Mr. & Mrs. Ralph T. Coe, Kansas City, Missouri

Mr. & Mrs. Arthur Cohen, New York

Bernard Coleman, Washington, D.C.

Mr. & Mrs. Allen C. Davis, Washington, D.C.

Vernon Eagle, New York

Eliot Elisofon, New York

Mr. & Mrs. Ralph Ellison, New York

Ernest Erickson, New York

Joseph Floch, New York

Mr. & Mrs. Chaim Gross, New York

Mrs. Edith Gregor Halpert, New York

Mr. & Mrs. René d'Harnoncourt, New York

Mr. & Mrs. Gaston de Havenon, New York

Henry Hawley, Cleveland

S. I. Hayakawa, Mill Valley, California

Mr. & Mrs. Irwin Hersey, New York

R. Sturgis Ingersoll, Philadelphia

Mrs. Jacob M. Kaplan, New York

Mr. & Mrs. Mauricio Lasansky, Iowa City

Jay C. Leff, Uniontown, Pennsylvania

Jacques Lipchitz, Hastings-on-Hudson, New York

Mr. & Mrs. Erle Loran, Berkeley, California

Thomas McNemar, New York

Mr. & Mrs. Stanley Marcus, Houston

Alistair Bradley Martin, New York

Mrs. Gertrud A. Mellon, New York

Mrs. Katherine W. Merkel, Gates Mills, Ohio

William Moore, Los Angeles

Dr. & Mrs. Werner Muensterberger, New York

Mr. & Mrs. Arnold Newman, New York

Mrs. Webster Plass, Philadelphia

Peter Pollack, New York

Mr. & Mrs. Victor Potamkin, Merion, Pennsylvania

Mr. & Mrs. Vincent Price, Los Angeles

Mr. & Mrs. Paul Rabut, Westport, Connecticut

Bernard Reis, New York

Warren M. Robbins, Washington, D.C.

Mr. & Mrs. Harold Rome, New York

Mr. & Mrs. Samuel Rubin, New York

Estate of Helena Rubinstein, New York

Mr. & Mrs. Alan Sawyer, Washington, D.C.

Mr. & Mrs. Henry Schaefer-Simmern, Berkeley, California

Mr. & Mrs. Gustave Schindler, New York

Gary Schulze, New York

Roy Sieber, Bloomington, Indiana

Mr. & Mrs. Frederick Stafford, New York

Mr. & Mrs. E. Clark Stillman, New York

Mr. & Mrs. Edgar D. Taylor, Los Angeles

Robert Ferris Thompson, New Haven, Connecticut

Paul Tishman, New York

Fred Welty, Washington, D.C.

Mr. & Mrs. G. Mennen Williams, Washington, D.C.

Mr. & Mrs. William D. Wixom, Bratenahl, Ohio

Sources of Illustrations

Origines des illustrations

Allen Memorial Art Museum: 63

American Museum of Natural History: 193, 202, 260, 264, 265, 266, 269, 289, 318

Art Institute of Chicago: 79

Baltimore Museum of Art: 34

The Barnes Foundation, Merion, Pennsylvania (Photo Copyright 1966 by The Barnes Foundation): 18

Lee Boltin: 21

Brooklyn Museum: 171, 229, 242, 301

Buffalo Museum of Science: 111

Rudolph Burckhardt: 3

Cheyne's Studio: 296

Chicago Natural History Museum: 178, 180, 216

Cincinnati Art Museum: 244

City Art Museum of St. Louis: 172

Cleveland Museum of Art: 22, 45, 50, 81, 82, 86, 185, 276, 300

Denver Art Museum: 209

Paul Draper: 113, 262, 302

Eliot Elisofon: 7, 7a, 16, 29, 33, 36, 38, 48, 51, 72a, 74, 75, 76, 77, 95, 104, 108, 131, 132, 204, 205, 232, 233, 237, 274, 290, 316, 317

Thomas Feist: 71, 191

Geza Fekete: 120, 294

Reuben Goldberg: 147

Sherwin Greenberg: 149

Joya Hairs: 64, 68, 181, 208, 211, 215, 219, 221, 223, 223a, 224, 261, 285, 321, 330, 338

Rebecca Holmes: 213, 238, 319

Indiana University Art Museum: 197

Peter Juley: 89

Mark Kinnaman: 53, 60, 165, 166, 198, 218, 241, 315, 320, 325, 337, 339, 340, 345

William Kohler: 134, 135, 136, 137

Lafayette Studio: 200

Elisabeth Little: 5, 15, 17, 25, 28, 35, 47, 52, 55, 83, 84, 97, 101, 102, 107, 114, 119, 140, 141, 142, 148, 169, 169a, 203, 207, 214, 227, 246, 248, 251, 258, 259, 263, 267, 268, 277, 280, 287, 295, 297, 298, 303, 305, 310, 329, 335, 336

Memorial Art Gallery, University of Rochester: 279

Minneapolis Institute of Arts: 94, 176, 212, 299

Al Monner: 190, 217

Peter Moore: 307

Lieselott Muensterberger: 31

Museum of African Art: 14, 39, 40, 57, 67, 85, 88, 160, 161, 189, 220, 247, 256, 278, 304, 341

National Gallery of Art: 177

William Rockhill Nelson Gallery of Art: 115, 327

Newark Museum: 155, 156, 157

Arnold Newman: 98, 121, 122, 123, 124, 125, 126, 127, 186, 195, 239, 240, 291

Oakland University: 271

Peabody Museum, Harvard University: 225, 293

Peabody Museum, Salem: 69, 192

Philadelphia Museum of Art: 230

Piaget: 201, 257

V. Primavera: 1, 43, 150, 328, 334, 344

Nathan Rabin: 24, 187, 252, 286, 314, 331, 342, 343

Charles Reynolds: 100, 308

Rex: 11

Walter Russell: 2, 23, 44, 139, 283

Seattle Art Museum: 87, 179, 282

Warren Shuman: 61, 65, 288, 292

C. E. Simmons: 333

Smithsonian Institution: 59, 66, 72, 222, 270, 272, 322, 323, 324

Soichi Sunami: 146, 158, 249

Taylor & Dull: 26, 46

John Thomson: 164

Toledo Museum of Art: 235

Charles Uht: 4, 6, 8, 12, 20, 41, 42, 49, 78, 90, 91, 96, 103, 105, 109, 110, 112, 117, 130, 133, 138, 143, 183, 226, 228, 245, 254, 281, 312

University of California: 37, 70, 93, 153, 154, 162, 234, 326

University of Iowa: 231

University Museum, Philadelphia: 27, 58, 62, 116, 151, 163, 167, 168, 168a, 174, 175, 184, 184a, 194, 196, 243, 250, 311, 347

Herbert Vose: 313, 313a

Walker Art Center: 13, 99

Wyatt: 306

Yale University Art Gallery: 56

Courtesy owner: 9, 10, 19, 30, 32, 54, 73, 80, 92, 106, 118, 128, 129, 144, 145, 152, 159, 170, 173, 182, 188, 199, 210, 236, 253, 255, 273, 275, 284, 332, 346

This book was composed by Hallmark Typographers, New York; the type used was Garamond. An edition of 7,000 was printed in February, 1966, by Robert Teller Sons & Dorner, New York, using paper furnished by the Mead Corporation. The books were bound in Columbia Mills Spindrift cloth by Montauk Book Mfg. Co., Harrison, N.J.